ЕЛЕНА КОЛИНА

Издательская группа АСТ
представляет книги
Елены Колиной

ДНЕВНИК ИЗМЕНЫ
ЛИЧНОЕ ДЕЛО КАТИ К.
ЛЮБОФ И ДРУШБА
МАЛЬЧИКИ ДА ДЕВОЧКИ
ПИТЕРСКАЯ ПРИНЦЕССА
ПРОФЕССОРСКАЯ ДОЧКА
САГА О БЕДНЫХ ГОЛЬДМАНАХ
УМНИЦА, КРАСАВИЦА

Елена Колина

Любоф и Друшба

ИЗДАТЕЛЬСТВО

Астрель
Москва

УДК 821.161
ББК 84(2Рос=Рус)6
К60

Подписано в печать с готовых диапозитивов заказчика 30.06.2009 г.
Формат 84×108¹/₃₂. Бумага газетная. Печать высокая с ФПФ.
Усл. печ. л. 16,8. Доп. тираж 3000 экз. Заказ 1300.

Общероссийский классификатор продукции
ОК-005-93, том 2; 953000 — книги, брошюры

Санитарно-эпидемиологическое заключение
№ 77.99.60.953.Д.009937.09.08 от 15.09.2008 г.

Оформление обложки — Яна Бабаян

Колина, Е.

К60   *Любоф и друшба*: [роман]/ Елена Колина. — М.: АСТ:
Астрель, 2009. — 320 с.

ISBN 978-5-17-058376-8 (ООО «Изд-во АСТ»)
ISBN 978-5-271-23446-0 (ООО «Изд-во Астрель»)

Для одних это увлекательная, со всеми подробностями чувств и
отношений, история. Мать семейства, помешанная на стремлении
выдать замуж дочерей: умницу, красавицу и девушку «легкого поведения». Глава семейства — плохой муж и небрежный отец. Женихи — одним вертят, как марионеткой, другой горд не в меру...

Для других это литературная игра, любимый сюжет, наполнен-
ный современными реалиями и новыми неожиданными смыслами.

Для всех — три «И»: Интрига, Ирония, Искренность.

УДК 821.161
ББК 84(2Рос=Рус)6

ISBN 978-985-16-6908-6
(ООО «Харвест»)(ПС)

Сочинение Лизы

Все знают, что молодой человек, располагающий средствами, должен подыскивать себе жену...
Джейн Остен.
Гордость и предубеждение

Все знают, что девушка, располагающая красотой, должна подыскивать себе мужа...
Я, Лиза

В тридцать лет кто замужем, тот замужем, а кто не замужем, тот не замужем.
Моя мама

Глава 1

Дома считается, что у меня легкий характер, и если есть недостатки, то обаятельные: я эгоистка, слишком чувствительная, очень обидчивая, и у меня излишне развито воображение. Мама говорит, что я отчего-то возомнила, что все должно происходить по-моему, и даже в ее жизни все должно происходить по-моему. Иногда я чувствую себя самым незначительным человеком на свете, а иногда мне действительно кажется, что я обладаю особой силой, могу влиять на события, двигать людьми, как шахматными фигурами, как будто все вокруг — персонажи романа, а я одна настоящая. Мама говорит, что в юности люди часто думают, что они управляют миром, но скоро я пойму — не я управляю миром, а мир управляет мной. Не знаю, что она имеет в виду, я не позволю никому мною управлять!..

Вне дома считается, что у меня тяжелый характер: упрямая, с большим самомнением, с перепадами настроения, то чересчур общительная, то замкнутая.

Меня очень волнует, как все эти черты могут сочетаться в одном человеке и какая же я на самом деле? Мама говорит, что я слишком интересуюсь собой. Иногда я очень себя люблю, иногда ненавижу, а иногда люблю и одновременно ненавижу. Мама говорит, что в этом нет ничего страшного, что каждый человек в юности любит себя страстно, но неразделенной любовью. Не знаю, что она имеет в виду, но я — не каждый человек!..

Деление на тяжелый и легкий характер неправильно, упрощенно. Каждый человек представляет собой не одну застывшую монолитную личность, а несколько личностей, и чем ярче выражен каждый тип личности, тем человек ярче и интересней. И если посмотреть результаты моего теста — это не глупый тест из глянцевого журнала, а научно выверенный при помощи математической статистики, — во мне много разных типов личности!

Я люблю быть одна, я очень люблю быть одна — в одиночестве можно думать без помех и делать все, что хочется. Но... что, собственно говоря, может помешать мне думать и чего я могу захотеть, что я непременно должна делать наедине с собой — есть варенье из банки руками или танцевать в маминой длинной юбке перед зеркалом?.. Я ненавижу быть одна.

Но люблю я одиночество или ненавижу — это факт моей личной жизни, а не биографии, потому что на самом деле мне совершенно невозможно побыть одной. В семье главное — любовь и внимание друг к другу, и у меня... у нас все это есть, и даже в избытке.

Говорят, что большие семьи ушли в прошлое. В прошлом остались милые семейные традиции: вечернее чаепитие на веранде под абажуром, чтение вслух, домашние спектакли, непритязательное музицирование — одна сестра играет, другая поет, третья переворачивает ноты, четвертая мечтательно смотрит вдаль... Прелестная картинка!

Но мы в нашей семье стараемся сохранить эту трогательную патриархальность — а что же нам еще остается, если наша семья еще не ушла в прошлое, если нас четверо, четыре сестры?..

Теплым майским вечером мы сидели на веранде и наслаждались кто чем: Женя любовалась цветущими в саду яблонями, Мария, как обычно, что-то читала, я... чуть не сказала «вышивала»... я читала книгу «Математический анализ и линейная алгебра».

А вот и домашний спектакль!

На веранду влетела Лидочка, прижимая к груди голубую кофту, и тут же вскочила Мария с возмущенным, но уже готовым к отступлению криком:

— Отдай, отдай, это моя кофта! Это мама мне купила!

— Нет, моя! — Лидочка спряталась за кресло и показала язык: — Бе-е, ме-е, рева-корова!

— Я не рева-корова. Дело не в кофте, а в принципе. Тебе, Лидочка, всегда достается все лучшее... Это несправедливо и прежде всего идет во вред тебе самой, — поучительно произнесла Мария.

Лидочка, не выходя из-за кресла, натянула на себя измятую в боях кофту, удовлетворенно улыбаясь, повертелась перед нами:

— Красиво? По-моему, супер!

Женя послушно кивнула, любуясь Лидочкой, притянула Марию к себе, прошептала:

— Я подарю тебе свои серьги, те, что тебе нравились, хочешь?

Мария заплаканно вздохнула — хочет. Уселась в кресло и принялась читать, но тут же подняла голову от книги, значительно сказала:

— Сенека говорил, что доказательства свойств характера можно извлекать из мелочей. Так вот, Лидочка всегда выбирает из вазы самое большое яблоко, всегда отнимает у меня новые вещи... Вывод: Лидочка — нахальная эгоистка.

Вот уж открытие. Если бы Сенека был знаком с Лидочкой, ему не нужно было бы извлекать доказательства свойств ее характера из мелочей, он мог бы просто сразу же признать: Лидочка — нахальная эгоистка.

Лидочка — нахальная эгоистка, обаятельная даже в своем эгоизме, а бедная Мария — необаятельная неэгоистка. Мария с детства отличница по всем предметам — ей были одинаково интересны математика, история, физкультура, пение, и она всегда как будто с поднятой рукой и снисходительно смотрит на всех со стороны, как отличница на прогульщиков. Неужели стремление к знаниям делает людей необаятельными?

— Зато я добьюсь в жизни всего... — убежденно сказала Мария.

— Чего? — смешливо спросила Лидочка. — Чего ты добьешься, ботаничка?

Ботаник — это подвид Homo Sapiens, любит учиться, встречается в библиотеках, музеях, часто носит очки.

— Что ты там изучаешь? Кому нужна эта твоя онто... чего?

Мария учится на философском факультете, и ее будущая специальность — «онтология и теория познания». Для постороннего уха это звучит немного странно и неконкретно, как будто Мария — средневековый ученый-схоласт. Отец говорит, что для ученых-схоластов было характерно доскональное изучение вопроса со скрупулезным рассмотрением всех возможных случаев и высокая культура цитирования, — это характерно и для нашей Марии. Она постоянно цитирует и досконально изучает мир вокруг себя — у нее есть все энциклопедии, которые можно найти в книжных магазинах, включая энциклопедию вин и энциклопедию секса. Зачем ей энциклопедия секса — загадка, но уж такая она, наша Мария, — хочет все узнать и систематизировать.

— Онтология нужна всем! — возразила Мария. — Онтология — это эксплицитная спецификация концептуализации, где в качестве концептуализации выступает описание множества объектов и связей между ними. Формально онтология состоит из понятий, терминов, организованных в таксономию, их описаний и правил вывода... Аристотель считает, что...

— А-а! — зажав уши, завизжала в ответ Лидочка. — Замолчи, замолчи!.. — Лидочка вертелась, улыбалась и корчила смешные рожицы. — Я и без учебы добьюсь побольше твоего...

— Добьешься того, что станешь проституткой, — пробурчала Мария, и Лидочка юлой бросилась к ней, выхватила учебник философии и, запрыгнув на кресло, весело заверещала:

— Я — проституткой?! А ты даже еще не целовалась! Тебе больше ничего не остается, только учиться! Тебе уже восемнадцать, тебе уже надо иметь целую кучу любовников, а ты еще даже не целовалась, ха-ха-ха!

— Не нужна мне твоя куча!.. И целоваться мне не надо...

— Врешь, целоваться всем надо!..

— Сама ты врешь, идиотка!

— Зануда, очкарик, а ну-ка попробуй отними свою дурацкую философию... Ой, мамочки! — вскричала Лидочка. — Женя! Эта дура Мария меня ущипнула!..

— Девочки, не ссорьтесь... — тревожно сказала Женя.

Мы стараемся поддерживать милые семейные традиции, потому что нас четверо, четыре сестры. Отчего же четверо, так несовременно много?.. Нас четверо не по родительской беспечности, не по религиозным соображениям, но потому, что родителям очень хотелось мальчика (как будто мы аристократическая семья и нам требуется наследник родовых земель), они все ждали и ждали мальчика, а у них рождались мы.

Зато они могут утешаться тем, что мы, девочки, настолько разные, что некоторых из нас можно было бы считать мальчиками, например меня, — по выбранной мною профессии, а не по сексуальной ориентации. Если бы мама слышала, как я шучу, она была бы недовольна, — она считает, что я слишком много смеюсь, говорит «смешно дураку, что нос на боку», говорит, что я глупо шучу. Но у меня бывают в среднем три смешные мысли в минуту, а одна-две глупости на три смешные мысли не так уж много.

В нашей семье, как положено во всякой большой семье, имеется одна настоящая красавица — старшая, Женя. Она красавица не только по семейным меркам — быть красавицей по семейным меркам немногого стоит, — наша Женя действительно красавица.

Как описать красоту? Глаза, нос, рот — это ни о чем не говорит... Женя — золотая и розовая. Золотоволосая, с нежным розовым лицом, голубыми глазами, прозрачной кожей и такая аккуратная, что к ней можно приклеить надпись «стерильно». Но при всем этом кукольном антураже Женя не похожа на Барби, а похожа на ангела. У нее на лице проступает душа, и впечатление стерильности создается не от ее нечеловеческой аккуратности, а от чистоты ее души.

Тогда вопрос: почему Женины фотографии не украшают страницы модных журналов, почему она не модель, не актриса, не светская львица, не жена какого-нибудь олигарха и вообще ничья не жена? Да просто потому, что у каждого своя судьба. Женя не модель, не актриса, не светская львица и вообще не львица, Женя — застенчивый ангел.

Считается, что если девушка красива, то счастье или хотя бы личная жизнь у нее в кармане. Как бы не так! Женя — красавица, ее красоту и духовное совершенство оценит любой, но где он все это оценит?

Советы глянцевых журналов Жене не подходят: Женя слишком взрослая и сонная, чтобы ходить в ночные клубы (даже если считать, что именно в ночной клуб молодой человек отправится в поисках серьезных отношений), она не посещает дорогой фитнес-клуб, где могла бы встретить свою любовь на беговой дорожке, у нее нет машины, чтобы сделать вид, что она сломалась, и чтобы какой-нибудь прекрасный принц ее починил... Остается только знакомиться на улице, но есть девушки, с которыми знакомятся на улице, а есть Женя. Ею можно любоваться издали, к ней никто не подойдет.

К тому же она работает в максимально неинтересном в смысле женихов месте — медсестрой в детской поликлинике. И даже там, в поликлинике, она не на людях, а в закрытой от взглядов лаборатории, делает клинический анализ крови и другие анализы. Так что даже если какой-нибудь олигарх или светский лев случайно принесет на анализ свою баночку в детскую районную поликлинику на Петроградской, он все равно не увидит розово-золотую красавицу, которая занимается его баночкой.

Почему у Жени такая ненарядная профессия? «Но ведь без анализов врачи не могут правильно поставить диагноз», — говорит Женя.

Не то чтобы Женя была тупицей, которой ничего не оставалось в жизни, кроме баночек. Она примерно училась в школе, но как ни заставляла ее мама поступать на престижный факультет менеджмента, обещая ей, что в этом случае она выйдет замуж за всех директоров иностранных компаний сразу, наша нежно-улыбчивая тихоня вдруг обернулась непослушницей и тайком отправилась учиться на медсестру. Это было странно — чтобы Женя перечила маме?! Она была так тиха и упряма, как будто знала что-то важное, но что? Что без анализов врачи не могут правильно поставить диагноз?..

Женя слишком романтичная. Я люблю Женю больше всех на свете, но когда она взволнованно лепечет что-то о духовной близости, о любви-единственной-на-всю-жизнь и тому подобной сентиментальной чепухе, я готова ее укусить! Наивность, робость, восторженность — весь этот прелестный набор барышни девятнадцатого века сейчас не пригоден и даже опасен... Хотя, если что, у этого глупого романтического зайца всегда есть я.

Ох, чуть не забыла — Жене двадцать четыре года, Женя у нас на выданье.

Следом за Женей я — мне двадцать один. Женя — красавица, а я, я кто?.. Не знаю, как определить мое амплуа. Не красавица, тогда, может быть, умница?.. Я учусь в университете на прикладной математике, на кафедре «Теория вероятности и математическая статистика», мой диплом называется «Специальная теория относительности и релятивистская астрофизика». ...Нет, все-таки умница у нас Мария.

Лидочка уверяет, что Марии только и остается быть умной, потому что она «очкастая занудливая уродка». До трех лет Мария была Машей, но в три года она надела очки и потребовала называть ее Марией. Мария действительно классическая дурнушка: маленькие глазки, толстенькие щечки, носик картошечкой. Но она обязательно похорошеет с годами, ведь с годами на лице отражаются личностные качества человека — на ее лице отразится ум, а также Сенека, Шопенгауэр и другие философы.

У нас никогда не было репетиторов, домашних учителей и даже возможности заниматься в кружках — мы ведь живем за городом, но на чердаке нашего дома огромная библиотека из семьи отца, так что те из нас, у кого было желание развиваться, имели эту возможность. «Те из нас» — это Мария. Мария читает как дышит, она читает всегда, не книгу, так учебник.

Ну, а те из нас, кто хотел бездельничать, имели полную возможность вырасти совершенно невежественными девчонками, — Лидочка, к примеру, считает, что Сингапур находится в Индии, а сказку про Буратино написал Лев Толстой.

— Вы еще не знаете, а я иду в ночной клуб, — торжественно заявила Лидочка. — Меня пригласил один человек.

— Один человек — некрасивый, лопоухий, ниже Лидочки ростом... — мстительно отозвалась Мария и с надеждой добавила: — Мама тебя не пустит в клуб...

Лидочке пятнадцать лет, она учится в престижной гимназии на Петроградской, маме стоило больших трудов отдать ее туда, но она считает, что самое важное — с самого начала иметь «приличные знакомства», а не прозябать в обычной школе среди обычных детей, как когда-то мы с Женей и Марией.

— Ничего не лопоухий!.. — надулась Лидочка.

Лидочка... Отец говорит, что в Лидочке виден пылкий темперамент и умение во всем найти собственную выгоду. Лидочка... нет, лучше я пока не стану окончательно определять ее амплуа, она ведь еще ребенок, а ребенку можно извинить легкомыслие, эгоизм, стремление к развлечениям и страстную любовь к платьям, кофточкам, белью, туфелькам, сумочкам... Трудно сказать, к чему Лидочка не испытывает страстной любви... возможно, к мужским фетровым шляпам. Да, пожалуй, к мужским шляпам она равнодушна. Так что у Лидочки есть шанс перемениться к лучшему.

Лидочка учится в девятом классе, но мы уже обсуждаем ее выпускное платье, а также выпускные туфли, выпускное белье — все выпускное, кроме выпускных экзаменов. Ну, а где Лидочка будет учиться дальше — об этом мы, как говорила Скарлетт, подумаем завтра. Пока что семейные амбиции по поводу Лидочкиного образования сводятся к тому, чтобы ребенок получил аттестат зрелости.

— Лидочка, хочешь, я расскажу тебе, что мужчины ценят во внешности женщин? — вкрадчиво сказала Мария. — А ты мне за это...

— Что ценят мужчины, что? — жадно спросила Лидочка. — Ну скажи, ну пожалуйста... Хочешь, я за это дам тебе надеть твою голубую кофту?.. Хотя тебе все равно не идет голубое, ты брюнетка, а я блондинка!

— За это ты сегодня ночью не будешь орать, чтобы я выключила свет, и дашь мне спокойно почитать хотя бы до утра...

— Хорошо, но тогда ты поможешь мне накрутить бигуди перед сном, а утром накрасишь мне губы, а то у меня не получается ровно, — торговалась Лидочка.

Я не знаю, как эта странная парочка — Мария с книжкой и Лидочка с помадой и бигуди — существует в одной комнате, разве что Мария по ночам привязывает Лидочку к кровати и читает ей из древнегреческих авторов, а Лидочка накручивает Марии тайком волосы на бигуди и мажет губы помадой.

— Так вот. В Америке был проведен опрос с целью определить, что мужчины ценят во внешности женщин, — важно сказала Мария. — Было опрошено десять тысяч человек, и вопреки распространенному заблуждению выяснилось, что мужчины предпочитают брюнеток.

— Брюнеток? Не может быть! — разволновалась Лидочка.

— Также были развенчаны и некоторые другие мифы. — Мария демонстративно оглядела Лидочку. — Например, значительная часть мужчин не одобряет косметику. Ногти ярко-красного цвета, как у тебя, Лидочка, также несут отрицательный заряд. Опрошенные считают, что накрашенные девушки поверхностные или тупые и не способны составить счастье приличного молодого человека.

— Мне и самой такие мужчины не нужны. Так могут считать только ботаники, — уверенно ответила Лидочка.

— А мне не нужны другие. Я хочу, чтобы мужчина мог поговорить со мной о... например, о Шопенгауэре, — упрямо сказала Мария. — Ну, и чтобы он был красивей, чем у тебя.

Чаще всего наши разговоры клонились к мужчинам, и мы уже давно выяснили: для Жени главное в мужчине — доброта, для Лидочки — чтобы было весело, для Марии — ум и чтобы было как у Лидочки. У Марии сложное отношение к Лидочке — она постоянно учит Лидочку и делает ей замечания, но одновременно соперничает и пытается подражать.

— У меня будет красивый муж, а у тебя некрасивый, потому я красивая, как мама, а ты очкарик, — по-родственному откровенно заявила Лидочка.

Наши родители оба красивые. На молодых фотографиях видно, что мама была хорошенькая, как кукла, но про взрослую женщину не говорят «хорошенькая», с возрастом у кукол миловидность облетает и остается лицо. Мама с возрастом стала хуже, на ее лице выступила простоватость, а отец — высокий лоб, умные печальные глаза — становится лучше и лучше.

Странная игра природы в нашей семье: Женя взяла от родителей самое лучшее, золотистой красотой удалась в мать, а тонкостью черт — в отца. Женя — красавица, мне выпал утешительный приз — «видна порода», Мария — откровенная дурнушка, а к Лидочке перешли мамины цветущая миловидность и простоватость.

И еще — в Лидочкиных чертах лица проступает что-то... Если бы Лидочка не была моя младшая сестра, я бы сказала, что у нее порочный рот. У мамы бывает такой рот, когда она чего-то очень хочет и знает, как это получить. Но у мамы это проявляется лишь иногда, а у Лидочки всегда.

— Мне все говорят, что я красивая, — настаивала Лидочка.

Лидочка очень озабочена своей внешностью, но ее нельзя за это ругать — она еще ребенок. Когда я была младше, я тоже тщательно перебирала все отзывы о себе.

Ангел Женя говорит, что я о-очень красивая, но я не дура, чтобы поверить ей. Лидочка повсюду болтает, что все ее сестры, кроме Жени, чучела, значит, я все-таки чучело...

Учителя в школе говорили — «в этой девочке видна порода», но что это — порода? Длинноватый нос с горбинкой, высокий лоб, круто вырезанные губы, зеленые глаза и темно-рыжие волосы, не того цвета, за который дразнят «рыжий-рыжий-конопатый», а лисьего, — это порода? Я так долго рассматривала себя в зеркало, что мне начинало казаться, что девочка в зеркале — не я. И я мысленно описывала эту чужую девочку как будто другого человека: треугольное личико, глаза на пол-лица, немного слишком большой яркий рот, в общем, очаровательное лицо с неправильными чертами... Но все это было, когда я была подростком, и я уже давно не создаю пленительный образ себя, а просто смотрю в зеркало и вижу — мило, но ничего особенного.

— Девочки, вы не представляете, что у нас случилось! — Мамин голос звучал откуда-то сверху, словно ее дух парил в воздухе, и это был очень взволнованный дух. — Девочки, вы не представляете, что у нас случилось! Лидочка, солнышко, как тебе идет кофта Марии! — Честное слово, мама произнесла эти слова, еще не появившись на веранде, — как она могла увидеть?

Впрочем, даже если мамы нет с нами в комнате, то она все равно есть, потому что мама у нас везде. Каждое слово, сказанное нами, становится ей известно, и каждый шепот, и каждая мысль... Это можно объяснить специальными свойствами пространства и времени, акустическими эффектами, а также маминым прекрасным слухом. Возможно, все еще проще: каждая из нас, кроме меня, секретничает с ней о своем и вольно или невольно выдает остальных. Или совсем просто: у мамы имеются шпионы, внедренные ею в наши головы.

На веранду вошла запыхавшаяся мама.

— Ох, мои дорогие, и еще раз ох. Лидочка, деточка, иди, я тебя поцелую.

Лидочка — мамина любимица, но мы почти не ревнуем, за пятнадцать лет привыкли.

— Сейчас вы все узнаете. Мы должны прямо сейчас все обсудить на семейном совете и выработать план. Где ваш отец?

Мама — бывшая хорошенькая куколка с печатью простоватости на лице. Мама — крупная женщина с властным лицом и тяжелой гривой волос. Мама — пышная легкомысленная красавица, из тех женщин, что никогда не перестают ощущать себя красавицами. Мама — располневшая растрепа домохозяйского типа в застиранном халате. Мама — женщина-подросток с волосами, завязанными в хвост, в джинсах и черном свитере.

Да-да, мама — хамелеон. У нее удивительная способность менять имидж в зависимости от обстановки. Затянутая в строгий костюм мама выглядит как руководитель завода или депутат, глядя на нее в кофточке с кружевными оборками, все говорят «а-ах!» — так жарко она пышет зрелой красотой, а в джинсах мама каким-то чудом кажется худенькой и меньше ростом и приобретает богемно-интеллигентный вид.

Сегодня мама выглядела властной и хлопотливой — это ее домашний имидж, в этом имидже она обычно выходит из дома по мелким надобностям — навестить соседей или в магазин.

— Где ваш отец?! — требовательно повторила мама.

Мама всегда так искренне возмущенно спрашивает «где ваш отец?!», словно не знает, что мы всегда внизу, а отец наверху. Наша жизнь протекает внизу — на первом этаже у нас кухня, гостиная, веранда и маленькие комнатки неизвестного назначения, в одной из них кладовка для овощей, в другой кладовка для лыж, в третьей кладовка для секретов — там стоит диванчик и можно протиснуться боком, упасть на диванчик прямо от двери и посекретничать. На втором этаже спальни — звучит, как будто речь идет об английском загородном доме, а на самом деле это три крошечные комнатки, — моя с Женей, Марии с Лидочкой и мамина. Мы — на первом этаже и на втором, а отец на третьем, в голубятне. Отец проводит весь день и весь вечер, а иногда и всю ночь у себя наверху, в кабинетике — крошечной каморке, до потолка заполненной книгами и бумагами.

Наш отец — знаменитый ученый, один из лучших византинистов в мире. Правда, знаменит он только среди ученых-византинистов, а это очень узкий мир, — отец говорит, что византинисты малочисленны, как дальневосточные лесные коты. Отец — единственный ученый в мире, который специализируется на периоде от начала крестовых походов до падения Константинополя.

Интерес к истории и культуре Византии очень большой — я могу судить об этом по тому, что каждый год за отца борются несколько европейских и американских университетов — предлагают прочесть курс лекций. Также я могу судить об этом по огромной переписке — отцу приходят письма со всех концов мира. Отец отвечает на все письма, не только коллег и студентов, но даже маленьких любопытных мальчиков. Ну, и наконец, я могу судить об интересе к Византии по грантам, которые получает отец. Гранты идут на Лидочкины кофточки и остальные нужды; к примеру, недавний грант на изучение истории Никеи и Трапезунда был использован на ремонт крыши, мамину нутриевую шубу и новый диван... Гранты — это как бы зарплата отца за то, что он всегда сидит наверху, в своем кабинетике.

Я поднялась к отцу и попросила его спуститься вниз.

— Мама хочет сообщить всем нам что-то очень важное. Она сказала, твое присутствие обязательно.

— Передай своей матери привет, — вежливо ответил отец, глядя на меня.

Этот его подчеркнуто внимательный взгляд на собеседника означает, что отец находится между 395 и 1453 годами — временем существования Романии. Романией называли Византию сами византийцы, и так называют ее многие историки.

— Ты подумай, Лиза, в этой статье одной из главных причин поразительных военных успехов арабов в борьбе с Романией и Персией в седьмом веке на-

24

зывают религиозный энтузиазм, и это после всех споров и достоверных доказательств обратного!

— Мама... — настойчиво растолковывала я, — мама, мама, мама...

Отец кивнул:

— Да-да. Совершенно не учитывают того, что Аравия находилась в безвыходном экономическом положении, и арабам необходимы были новые территории! Пусть это не единственная причина военных успехов арабов, нужно принять во внимание условия жизни византийских восточных и южных провинций — прежде всего то, что они были монофизитскими, но...

Я понимала, как это важно для отца, ведь после арабских завоеваний Византийская империя занимала всего лишь территорию Греции и Малой Азии, тогда как до этого — все провинции Римской империи, Египет в Африке, а в Европе Фракию, Дакию, Эпир... Но мама хотела сообщить свою новость максимально торжественно, поэтому я еще несколько раз ходила парламентарием наверх и обратно.

— Передай своему отцу, что я требую его присутствия на семейном совете!.. Скажи, что это касается девочек, их жизни... и смерти!..

— Передай своей матери, что я не собираюсь спускаться вниз по пустякам.

— Передай своему отцу, что он у меня узнает, как не являться на семейные советы... Скажи, что я сейчас поднимусь и выкурю его оттуда, как старую хитрую лису!.. Кстати, у лис очень развит материнский

25

инстинкт. И отцовский, думаю, тоже. Даже лисы, казалось бы, совершенно дикие звери, и то не так равнодушны к своим девочкам, как он! Так и скажи — ему не удастся увильнуть от моей новости, я сейчас сама за ним приду!

Это была пустая угроза — отец чувствовал себя в полной безопасности. Единственная власть, которую он имеет в семье, это решительный запрет для всех заходить в кабинетик, для всех, кроме меня, — отец выбрал меня как связь с внешним миром. По понедельникам заходить в кабинетик разрешено маме, а девочкам, моим сестрам, — никогда. Отец держится со всеми нами ровно, никого не выделяя, и посторонний человек ни за что не догадается, что к Марии и Лидочке он относится иронически, к Жене ласково, но снисходительно. Только со мной отец разговаривает на равных, как со своим другом, я всегда была папиной дочкой, с детства обожала слушать его рассказы — гонки на колесницах, императоры, Цистерна Базилика... Цистерна Базилика звучит волшебно, это одно из самых крупных сохранившихся с древности водохранилищ, в нем нашли сорок цистерн.

— Мама очень просит, на одну минутку, и обещает больше никогда не беспокоить...

— Лиза, мне только что показалось, что твоя мать оставила меня в покое. И тут я обнаружил, что это опять ты с ее поручением. Однако я не имею права полностью отвергнуть и предыдущую версию, что тебя здесь нет и твоя мать позволила мне заниматься своими делами, — закрывшись от меня рукой, произнес отец.

Отец похож на классического ученого из старого кино, рассеянного чудака, чрезвычайно далекого от происходящего. Изредка я замечаю у него короткий острый взгляд, и тогда мне кажется, что отец все видит и понимает, но за этим тут же следует беззащитный нервный жест — отец выставляет ладонь у лица как защиту, как будто закрывается от всех.

— Скажи ей, что я заснул, умер, придумай сама, что хочешь, — бессильно сказал отец и внезапно изменившимся нежным соблазняющим тоном продолжил: — Хочешь, поговорим об аваро-славянском нападении на Балканские владения? В шестьсот шестнадцатом году при Ираклии?

Я спустилась вниз и доложила:

— Папа передал, что он обязательно спустится попозже, и просил начинать семейный совет без него.

— Ваш отец!.. Я больше не в состоянии жить в таком страшном одиночестве! — вскричала мама. — Я все сама, все одна...

— Но, мамочка, он же работает, — нежно возразила Женя. — Не сердись на него.

— Не сердись, — поддержала Мария. — Шопенгауэр утверждает, что умственный труд делает человека непригодным к заботам действительной жизни, особенно в обстоятельствах, требующих энергичной практической деятельности.

— Ну… если уж даже Шопенгауэр… — нерешительно протянула мама. — Ну, хорошо. Раз вашему отцу нет до вас дела и Шопенгауэр его поддерживает, я опять возьму все на себя.

Ангел Женя удивляется, как я могу подмечать смешные черточки в отце и маме. Говорит, что любовь к родителям немыслима без уважения, почтения и так далее. Глупый ангел! Любовь без почтения ничуть не меньше!.. Хорошо, что нас четверо, и маме с отцом достается от всех нас разная любовь — и с почтением, и без!

— Вот что я вам скажу, мои дорогие: мы на пороге новой жизни, — возбужденно сказала мама, она любит говорить красиво. — Вы ни за что не угадаете, что мне сказала Ирка!.. Ну, приготовьтесь — раз, два, три — ку-пи-ли Дом.

Ирка — это тетя Ира, наша соседка и мамина подруга, она первая узнает обо всем, что происходит вокруг, а Дом…

Здесь нужно кое-что объяснить. Мы живем не в Петербурге, а в Лисьем Носу, ближайшем пригороде Петербурга, поселке на берегу Финского залива. Лисий Нос старше Петербурга, ему пятьсот лет.

Лисий Нос — это почти город, от Лисьего Носа до метро «Петроградская», то есть до центра Петербурга, всего двадцать минут на машине или маршрутке, если без пробок. И вся наша жизнь протекает в Петербурге. Лидочка учится в гимназии на Петроградской, Женя работает в поликлинике на

Петроградской, Мария и я учимся на Васильевском острове. Правда, первые два курса я училась в Петергофе — математический факультет частично находится в Петергофе, по другую сторону города, и страшно вспомнить — на дорогу в университет у меня уходило три часа, но чего не сделаешь из любви к теории относительности.

Теперь самое важное. Дело в том, что Лисий Нос — особенное место. Этот ближайший к Петербургу поселок у Финского залива — очень престижное место, как московская Рублевка. Земля здесь очень дорогая, и цену на землю знает каждый местный мальчишка, бегающий по лужам в резиновых сапогах, — не так давно жители поселка изумлялись тому, что сотка стоит пять тысяч долларов, потом сотка стала стоить десять, а теперь пятьдесят тысяч долларов.

Самую большую ценность представляют участки у залива. От залива пахнет плесенью, купаться в заливе нельзя, осенью и зимой такие страшные ветры, что кажется, наш дом вот-вот унесет в Волшебную страну, но земля у залива самая дорогая, а мы живем у самого залива.

Это означает, что наш огороженный покосившимся забором участок в двенадцать соток — две сосны, пять яблонь, куст красной смородины и клумба с нарциссами — стоит полмиллиона долларов. Маму это очень занимает, она, как все старые жители поселка, пристально следит за ценами на рынке недвижимости и удовлетворенно оглядывает свои сотки земли, словно пересчитывает деньги в кармане.

Мама любит обсудить, как мы распорядимся нашим виртуальным полумиллионом долларов, прикинуть, какую недвижимость в мире она может приобрести за наши двенадцать соток — две сосны, пять яблонь, куст смородины и клумба. Любит прийти с газетой и, деловито прищурившись, усталым голосом сказать: «Не знаю, что нам лучше купить — виллу в Чехии или апартаменты в Испании?..» В общем, мама, как и все жители Лисьего Носа, чувствует себя властелином мира.

Несмотря на заоблачные цены на землю, Лисий Нос вовсе не выглядит как роскошное курортное поселение, Лисий Нос выглядит странно и негармонично — как человек во фраке и купальных трусах. У нас есть все: роскошные особняки, замки с башнями, дворцы с колоннами соседствуют с несчастными скрюченными избушками и со скромными, из последних сил держащимися деревянными домами с облупившейся краской, как наш дом.

Такое разнообразие объясняется очень просто — земля потихоньку раскупается и застраивается, но именно потихоньку. Кто-то, как мы, просто живет в своих домах и не собирается никуда переезжать, кто-то не хочет продавать свой старый домик без водопровода и туалета — цены на землю так быстро растут, что люди боятся продешевить, продать дешевле, чем завтра продаст сосед. А некоторые участки просто невозможно продать — заброшенные дома, запутанные семейные истории, потерянные документы... просто раздолье для детективных историй в духе Ага-

ты Кристи. Поэтому основная часть Лисьего Носа все-таки «старая», и особняки своей каменной роскошью как будто насильственно вкраплены в покосившуюся деревянную жизнь.

В поселке две жизни. Первая, патриархальная, которую ведут старые жители, — посплетничать у магазина, все про всех знать. В этом обществе есть своя иерархия, в которой мама занимает одно из первых мест. Вторая жизнь, за огромными кирпичными заборами, протекает отдельно от поселка, но жители поселка прекрасно осведомлены и о ней — потому что, как говорит мама, «от людей же никуда не скрыться».

Так вот, Дом. Этот дом всегда называли с особой почтительностью — Дом, и всегда было понятно, когда говорили о чьем-то просто доме или же о Доме. Огромный, в половину гектара участок в соснах, бесконечная кирпичная ограда, причал и сам Дом — красивый, нисколько не похожий на краснокирпичные крепости, построенный как старый господский дом, и только одно напоминает о современности — бассейн со стеклянным куполом и стенами: плаваешь и видишь залив. Но там никто не плавал.

Мы имели к Дому самое непосредственное отношение — у нас был общий забор. Дом был обнесен высоким кирпичным забором, украшенным коваными решетками, но между нами забор был деревянный — высокий, плотный, без просветов, но деревянный, — тут проявился такт бывшего владельца, кото-

31

рый был дружен с мамой и не захотел, чтобы на нашем скромном участке с одной стороны выросла кирпичная стена до небес, как Великая Китайская стена. Так что три стороны нашего забора были старые деревянные, а четвертая новая, и за ней — Дом.

Но это еще не все. Дом был построен на огромном, как парк, участке, но расположен так близко к нашему забору, что из окон второго этажа было видно как на ладони все, что происходит за чужим забором, вокруг Дома, и при желании можно было даже разглядеть, что происходит в самом Доме.

Разглядывать, впрочем, было нечего — хозяин давно жил за границей, Дом был необитаем и так долго стоял пустым, что мы привычно обходили его взглядом, считая принадлежностью пейзажа вроде горки или рощицы, и вдруг... Неужели этот особняк купили? И кто же наши новые соседи?

— Женя, в первую очередь это касается тебя... Потом Лизу... — взволнованно перечисляла мама.

— Но при чем здесь мы? Почему нужен семейный совет? — удивленно спросила Женя. — Почему мы на пороге новой жизни?

— Все я, всегда все я... — вздохнула мама. — Девочки, вы хотя бы понимаете, что все всегда я? Я обо всем за вас думаю, обо всем волнуюсь... Вы что, не понимаете? Дом купил мужчина! Неженатый! А сейчас в Доме поселились двое мужчин! И второй, я точно не знаю, но может быть, он тоже не женат. Мы должны немедленно завязать отношения.

Ох... Сейчас мама деловито скажет, что мы должны как можно чаще попадаться им на глаза, главное, конечно, Женя, но я тоже, хотя с моим характером лучше никому не попадаться на глаза...

— Женя, ты должна как можно чаще попадаться им на глаза, — деловито сказала мама, — и ты, Лиза, хотя с твоим характером лучше никому не попадаться на глаза...

Лидочка молчала, но было видно, что и она не прочь попытать счастья на соседнем участке.

— А я? Я тоже хочу! — наконец не выдержала она. — Ну и что, что мне пятнадцать лет, зато у меня грудь в два раза больше, чем у Марии, — я измеряла, и я самая веселая! — заявила Лидочка.

— Ну что же, девочки. У нас чрезвычайно выгодная позиция, у нас с ними общая граница, один выход к заливу. — Мама выражалась как опытный полководец. — Мы должны составить план действий по проникновению на соседний участок.

— Можно сделать подкоп, можно повиснуть на ограде с приветственными флагами, — предложила я. — Если хочешь, я могу проникнуть к ним в дом в качестве молочницы — молоко купим в магазине. А можно выдать нас замуж при помощи нашего кота... Кто-нибудь возьмет кота на руки, встанет на лестницу, приставленную к забору, и незаметно скинет кота на соседний участок.

— А что здесь плохого? — задумчиво сказала мама. — И через минуту к ним постучусь я и скажу —

«у вас наш кот», а потом прибежит Лидочка и скажет — «у вас наша мама», а потом...

— Зачем же подвергать риску Лидочку и кота? Постучись к ним и скажи — «у вас наш муравей», — предложила я.

— Я скажу «у вас наш кот», — отмахнулась мама и, поняв, что я шучу, обиженно замолчала.

Я хотела сказать, что еще можно привлечь собак — у нас такса и пудель, можно научить таксу прорыть подземный ход, а пуделя... Но не успела — мама посмотрела на меня взглядом «если ты думаешь, что теория относительности принесет тебе положение в обществе и обеспеченность, то ты просто дура...». Я ответила ей взглядом «не думаю, но мне и не нужно» — близким родственникам не обязательно произносить слова, можно просто посмотреть.

Я как-то нашла на чердаке потрепанную книгу в синем переплете и... Это была какая-то мистика! Я читала, и мне хотелось зажмурить глаза и потрясти головой: оказалось, что наша семья как две капли воды похожа на семью из романа Джейн Остен «Гордость и предубеждение» — вот же мама, вот отец, вот мои сестры! Мать семейства помешана на том, чтобы дочери вышли замуж. И все было так мило, так прелестно, если бы не высветились скелетики. Один жених зависим и неумен, им вертят как марионеткой: сказали «можно любить» — любит, сказали «нельзя» — не любит, для его дамы это просто унизительно. Второй жених тщеславен и горд не в меру, отец семейства — плохой муж и отец, а вот глупая мать семейства вызывает жалость и сочувствие — она всего лишь хочет своим дочкам счастья, и ее неловкие интриги приводят к желаемому всеми счастливому финалу. Впрочем, девушки неплохо заботятся о себе сами.

Моя мама, как во времена Джейн Остен, считает, что замужество — это положение в обществе, уверенность в будущем и чувство защищенности, это черта, за которой «жизнь состоялась». Мамина цель в жизни — «быть не хуже людей», но мама хочет не только быть не хуже людей, но и стать лучше людей. Мама хочет выдать нас замуж, но не просто замуж и не просто удачно, а феерически удачно, за олигархов, медиамагнатов, иностранных аристократов и президента Российской Федерации.

— Некоторые вообще на рынке картошку продавали, а сейчас аристократки... — недоброжелательно сказала мама. Ей кажется, что кто-то отобрал нашу долю удачи. Но все же удачливые продавщицы картошки — мамин главный аргумент. Золотоволосой красавице положено суперзамужество, положено сказочное счастье, несмотря ни на что, ни на картошку, ни на баночки с анализами.

Особенную ставку мама делает на Женю — на меня никакой («у Лизы плохой характер, она слишком много смеется, слишком независимая, мужчины не любят независимых женщин») — и на Лидочку («вот кто сама выйдет в люди и всех сестер выведет»), ну а Марию «хорошо бы хоть кому-нибудь подсунуть».

— А я хочу выйти замуж, — вдруг сказала Лидочка.

— Почему? — с интересом спросила Мария.

— Просто хочу, и все. Может, муж купит мне бутик, и я там буду одеваться...

— Мама! Скажи ей! Я не желаю слушать глупости! — закричала я.

— Мама, скажи ей, что у современной девушки есть альтернативный путь для того, чтобы занять достойное место в обществе... — начала Мария.

— Мама говорит, что если ты не выйдешь замуж в институте, то точно останешься старой девой! — хихикнула Лидочка. — Старая дева, старая дева!..

— Мама из прошлого века, из двадцатого, — надулась Мария. — Это в прошлом веке обязательно нужно было выйти замуж в институте, а теперь все изменилось! Мама! Зачем мыслящему человеку выходить замуж? У тебя есть логичный обоснованный ответ на этот вопрос?

На этот вопрос у мамы был логичный обоснованный ответ — она покрутила пальцем у виска.

— Мама, мама, мама! — толкаясь, кричали Лидочка и Мария.

— Мама, — тихо сказала Женя, намекая на то, что пора прекратить эту возню.

Мама рассеянно посмотрела на нас и погладила Лидочку по голове.

— Хорошо бы у них кто-нибудь тяжело заболел, тогда мы могли бы предложить им услуги медсестры, — мечтательно сказала мама. — А пока что хватит болтать! Вы все, шагом марш прогуливаться по заливу! Или нет, все остаются дома, лучше пусть Женя идет одна с задумчивым лицом!..

Женя ласково улыбнулась и прошептала:

— Бедная мама, мне так ее жалко, она так старается. — Какими бы глупыми ни были мамины наставления, ангел Женя еще ни разу не признала их глупыми, улыбалась, соглашалась и нежничала.

Мария подняла глаза от книги:

— Согласно научным данным, самый важный фактор привлекательности... угадайте, что именно?

— Одежда! — выпалила Лидочка. — Что, нет? Ну тогда обувь? Тоже нет? А что же тогда? Внешность?.. Губы должны быть блестящие, ноги длинные, грудь большая...

— Дура ты, Лидочка, — протянула Мария. — Самый главный фактор привлекательности — это частота взаимных контактов.

— Чего? — удивилась Лидочка. — Чем чаще контакт, тем лучше? Ни фига себе, девочки, вы только послушайте нашу тихоню — контакты! Чем чаще контакт, тем лучше!

— Под частотой контактов подразумевается совсем не то, что ты подумала, а частота встреч, — фыркнула Мария. — Сейчас я вам объясню. Это нетрудно понять, даже ты, Лидочка, сможешь. Возьмите для примера дружбу. С кем мы дружим? С одноклассницами. Мы же не выбираем себе для дружбы девочек из другого класса, потому что уже находимся рядом с этими... А в кого люди обычно влюбляются? Никто не будет влюбляться в человека, которого никогда не видел, правда? Или в того, кого он изредка случайно встречает. Все влюбляются в студенток своего института, в тех, с кем вместе работают... Вот вам и «божественное предопределение». Ничего такого нет! Просто работает главный фактор — повторяемость встреч. Поняла, Лидочка-дурочка?

— На залив! — скомандовала мама. — Ладно уж, Лиза, иди и ты на всякий случай. Гуляйте и помните: вам уже скоро тридцать. В тридцать лет кто замужем, тот замужем, а кто не замужем, тот не замужем.

Ну почему нам скоро тридцать, если мне двадцать один год, а Жене двадцать четыре? Но мы стараемся не спорить с мамой по пустякам.

Мама отправилась к тете Ире обсудить старые новости и разузнать, не появилось ли новых. А мы с Женей действительно взяли собак и отправились гулять на залив. Не для того, конечно, чтобы начал работать фактор повторяемости встреч. Просто если не сделать то, что велела мама, она уляжется в темной комнате с невыносимой мигренью и мокрым полотенцем на голове. Я не раз замечала, как она хитро выглядывает из полотенца, но вдруг у нее и правда невыносимая мигрень? Лучше не рисковать, тем более сейчас четыре часа, наше время для прогулок по заливу — мы гуляем по четным.

Не подумайте, что нам с Женей разрешено показываться на заливе только по определенным дням или часам суток, конечно, нет. Просто в другое время нас могут съесть. У нашей соседки по имени Ада огромная злая собака, которая часто срывается с поводка и бегает по заливу с видом собаки Баскервилей... Собаку прозвали Исчадие Ады.

После нескольких неприятных инцидентов мы договорились: Исчадие Ады гуляет по нечетным часам суток, а остальная мелочь вроде нас с Женей с таксой и пуделем — по четным.

Выходя за калитку, я оглянулась и, увидев отца в окне кабинетика, сделала ему наш с ним тайный знак, который означает «путь свободен». Сейчас он, воспользовавшись тем, что мамы нет дома, спустится вниз за чаем и бутербродом и опять исчезнет у себя до позднего вечера.

— Ваша мать рассказала мне о своих планах, — сказал отец, когда мы вернулись домой, он был внизу и в чрезвычайно хорошем настроении, наверное, как-то по-новому объяснил военные успехи арабов в борьбе с Романией и Персией в седьмом веке. — Я со своей стороны принял посильное участие в устройстве вашей жизни — предложил вашей матери передать соседям наших девочек через забор.

Мама еще несколько раз заводила разговор на эту тему, но по тоскливому выражению лица, с которым она поглядывала на Дом, было понятно, что она все еще не придумала, как ей быстро перекинуть нас через забор...

Может показаться, что все это говорит о маме дурно. Может даже показаться, что она — идиотка, обсуждает всерьез всякую ерунду, например выдать нас замуж при помощи кота. Но это не так. Наоборот. Мама прекрасно знает, что я шучу, но не обращает на это внимания, а мгновенно отделяет дурачество от смысла, и в ее мозгу с дикой скоростью проносится — «а вдруг», «а что, если», «а почему бы и нет»... Действительно, а почему бы и не кот?

Маме бы полком командовать, а она всего лишь командует нашей жизнью. Но мы не самый благодатный материал: я слишком много смеюсь, Мария некрасивая, Женя совершенно не использует свою красоту, и одна Лидочка ее утешает — они вместе улучшают Лидочкину внешность, и не удивлюсь, если они вместе мечтают о женихах. Лидочка позволяет маме быть директором ее жизни, а все остальные — только администратором, не более того. Ничем другим я не могу объяснить мамино к ней особенное отношение.

Глава 2

— Идут! Они идут! Скорей! Они заходят! В калитку! Они уже тут! Все сюда! — кричала мама из своей комнаты. Только ее окна выходят на дорогу, и мы бросились скорей в ее комнату посмотреть в окно, что ее так испугало. Наверное, кто-нибудь не закрыл калитку и к нам на участок забрели соседские козы — мама боится животных.

40

Но это оказались не козы, а всего лишь трое незнакомых людей — двое мужчин и девушка; они, очевидно, перепутали адрес и теперь стояли, оглядываясь, но не смущенно, а словно не решив, проходить ли им или уйти.

— Мама, почему ты так кричала? Это же не козы... — недоуменно сказала я.

— Не козы?! Не козы?! Это как раз козы! То есть... Какие козы, это же они, из Дома!.. — отрывисто вскрикивала мама, нервно расстегивая и снова застегивая халат. Как назло, она была совсем без имиджа — просто в старом халате.

— Лиза, беги скорей переодевайся, и Женя, главное, Женя, — пусть быстро наденет то, в чем она была на Новый год... — приказала мама.

От волнения она совсем потеряла голову — почему Женя должна спешно нарядиться в то, в чем была на Новый год, — красный халат и колпак Деда Мороза? Зачем мне переодеваться, если какие-то незнакомые люди забрели к нам на участок, как козы? Никто из нас, кроме мамы, не болтается по дому в затрапезной одежде, а отличить домашние джинсы от тех, в которых я сегодня была в университете, можно только по вытертым коленкам, ну, и еще по большому черному пятну — пятно осталось после того, как я свалилась с велосипеда прямо в лужу мазута.

Я вышла во двор вместе с таксой и пуделем, приветливо улыбаясь и мечтая, чтобы незнакомцы ошиблись и им были нужны не мы, а кто-то другой.

— А ваша мама нас приглашала... Скучно, в город ехать неохота, вот мы и зашли... — небрежно сказала девушка, высокая худая брюнетка с мелкими чертами лица, достаточно красивая для своей красивой одежды. Она без улыбки осмотрела меня, задержавшись взглядом на мазутном пятне, перевела взгляд вниз и чуть заметно усмехнулась — я выскочила в огромных пушистых розовых тапочках-зайцах. На одном заячьем ухе висел пудель, на другом — такса.

Девушка мне не понравилась — невежливо говорить людям, что заглянул к ним потому, что не нашлось ничего более интересного. И усмехаться невежливо — надо признаться, я выглядела совершенно по-домашнему, но если люди приходят в гости внезапно, они должны быть готовы, что их встретит чучело в мазутных пятнах и розовых зайцах, на каждом по собаке.

Девушка представилась Алиной, а ее брат Вадиком, но она тут же его поправила, сказав, что Вадиком его называют свои, а для обычных людей он Вадим. Она так и сказала — «для обычных людей», а он улыбнулся и еще раз представился — «Вадик».

Вадим был приблизительно моих лет — чуть больше двадцати и был похож на Есенина, вернее, на дружеский шарж на Есенина — невысокий, крепкий, светловолосый, с милым петушиным чубчиком, лицо приятное и улыбка хорошая. Бывают люди, которые сразу же располагают к себе, добродушные, искренние, и если в них не обнаруживается больших пороков, они такими и оказываются.

Второй, Сергей, был постарше, около тридцати. С мужской красотой всегда сложно, сказав «красивый мужчина», ничего, в сущности, не скажешь, — он может быть и томным красавчиком, какие нравятся Лидочке, и мачо, и положительным киногероем. Сергей был не томный красавчик, не мачо и не киногерой, он был самый обыкновенный «красивый мужчина», высокий, широкоплечий, темноволосый, с лицом... На его лице были глаза, нос, рот, все, как у всех, кроме подбородка — подбородок уж слишком выдавался вперед, намекая на сильный характер своего обладателя.

Манеры его были не такие располагающие, как у Вадика: если Вадик пришел с желанием подружиться, то Сергей держался покровительственно, словно подсмеиваясь над всеми и самим собой, очутившимся в нелепой ситуации. В общем, было очевидно, что он бесцеремонный, жесткий человек — один подбородок чего стоит.

— Приятно было познакомиться, а теперь мне пора домой... — сказала я, как будто это я была у них в гостях.

На крыльцо вышла Женя, за ней маячила мама с нарядным лицом, она так демонстративно вывела Женю и так радушно улыбалась, что я тут же разозлилась на ее неуместную взволнованность. И вдруг я увидела чудо!.. Настоящее чудо — любовь с первого взгляда. Нет-нет, это не мама влюбилась с первого взгляда в Сергея или Вадима... Кстати, мама так и выскочила без имиджа — не успела переодеться, потому что ринулась за Женей и вытолкнула ее на крыльцо.

Женя стояла на крыльце, на фоне потемневшего дерева, и была золотая и розовая, как никогда. Золотые кудри до плеч, нежный румянец, удивленные глаза — мама явно вытащила ее, как сержант новобранца, не дав ей опомниться, и вид у нее был такой, будто золотое облако подняли с постели. Вадик — он был, конечно же, Вадик, а не Вадим, — смотрел на Женю, как наш кот перед прыжком, расслабившись и одновременно собравшись, а Женя смотрела на него и улыбалась застенчиво.

Гости отказались от настойчивого маминого предложения пройти в дом, и мы расположились на крыльце, на лавках друг напротив друга, как на деревенских танцах, — на одной лавке девочки, на другой мальчики, такса пригрелась на коленях у Вадика, пудель заполз под лавку, а мама стояла посередине и умиленно смотрела на нас.

Вадик взял с крыльца забытую книжку «Математический анализ и линейная алгебра» и, держа ее двумя пальцами, брезгливо, как что-то гадкое, — с опаской спросил:

— М-матем-матика? Это к-кто же из вас т-такая умная?

— Это моя дочка Лиза, — заторопилась мама, указывая на меня. — Да, правда, это же уму непостижимо, как у меня получилась такая умная дочка...

Сергей насмешливо блеснул глазами, и тут я уже полностью убедилась — какой неприятный человек!

Я имею право замечать глупые ляпы своей собственной мамы, а он нет! По отношению к чужим мамам нужно быть тактичней!

Вадик с облегчением взглянул на Женю — обрадовался, что не Женя изучает линейную алгебру, и признался нам, что по математике у него была самая низкая оценка в колледже, впрочем, как и по другим дисциплинам, по всем, кроме истории.

— Колледж? Это что-то вроде техникума? Ну и правильно, многие и без высшего образования прекрасно живут, — горячо поддержала мама, и Алина, фыркнув, сообщила, что «техникум» Вадика находится в Лондоне.

— Среди людей нашего круга принято получать образование в Англии... Отец хотел, чтобы он учился с людьми своего уровня, — сказала Алина.

— А какой ваш уровень? Если сравнить с олигархами? — оглянувшись на Дом, с любопытством спросила мама.

— А вы, Женя, где учитесь? — вместо ответа поинтересовалась Алина.

Женя рассказала о своей работе в поликлинике. По-моему, они онемели от ужаса, вообразив Женю с баночками, Вадик вежливо улыбался, Алина кривилась и насмешливо переглядывалась с Сергеем.

В полной тишине мама довольно прошептала мне на ухо: «Это все я! Я к ним забежала по-соседски, посоветовала, кого из поселка нанять в прислуги... ну и пригласила заходить». Но мама не умеет шептать тихо, и в ответ на мой упрекающий взгляд она еще громче прошептала: «Вот видишь! Женя ему очень понравилась. У них все сложится, я чувствую, я знаю...» Это было так ужасно стыдно, что я уже не испытывала неловкости от маминых оплошностей, а просто кивнула, как будто у нас так принято — громким шепотом строить планы на гостей.

— Мама рада, что вам понравилась наша Женя, — громко сказала я. — У мамы страсть всех знакомить, а лучше сразу женить...

Вадик широко улыбнулся, снимая общее напряжение и всем своим видом говоря — мне очень нравится Женя и все мне здесь нравится, и тут же взглянул на Сергея, как послушный ребенок на воспитательницу, желая убедиться, хорошо ли он себя ведет.

— Лиза шутит, — принужденно улыбнулась мама. — Она у нас все время шутит невпопад. Ну, вообще-то я считаю, молодежь должна вместе проводить время... Вот и тетя Ира хотела свою Люду с вами познакомить, хотя Люда — некрасивая девочка, не то что моя Женя... В Женю все влюбляются и предложение делают, но она очень скромная девочка, такие, как моя Женя, сейчас редкость...

— Мама, пожалуйста, — порозовев, прошелестела Женя.

Алина засмеялась и, пытаясь приглушить смех, закашлялась, и мама, внимательно поглядев на Алину, мягким уютным голосом спросила:

— А что это вы кашляете? И бледненькая?.. Да что это я на «вы» да на «вы»! Ты давно так кашляешь, деточка? А температуру мерила?

— Вы мне? — растерялась Алина. — У меня недавно было воспаление легких, а что?

— Расскажи мне, как тебя лечили.

Мама уселась между Женей и Алиной, и они с Алиной выпали из общего разговора. До нас доносились Алинины слова — антибиотики, банки, йодная сеточка, гланды — и мамино ласковое жужжание.

Мама обладает особым талантом — у нее талант эмоционального соучастия, иначе говоря, люди мгновенно вступают с ней в интимно-дружеские отношения. Директриса гимназии вызывает ее, чтобы сказать — двоечнице Лидочке не место в гимназии, но не проходит и нескольких минут, как директриса уже рассказывает ей о своей ужасной невестке. Лидочка учится в гимназии только благодаря ужасной невестке директрисы, продавщица в нашем магазине в Лисьем Носу оставляет маме все самое свежее, а иногда мама включает свое обаяние, чтобы получить какую-то труднодостижимую справку, иногда ей хочется побольше узнать о ком-то из наших знакомых...

Я много раз видела этот мамин фокус и пыталась проанализировать ее поведение. Мама принимает позу собеседника, дышит с ним в унисон, смотрит особенным теплым взглядом, вытягивающим из человека признания, словно говорит — «смелее, я вас пойму»... но во всем этом есть еще что-то неуловимое — талант. Откуда мама знает, что директриса хочет поговорить о невестке, а эта незнакомая ей Алина — о болезнях? Никогда я этого не пойму.

— Я... у меня... — Алина, наклонившись к маме, что-то шептала ей на ухо.

— Деточка, я тебя очень понимаю, — прочувствованно сказала мама.

Она не притворяется, она и правда понимает. Иногда мама пользуется своим даром совершенно бескорыстно, просто потому, что вдружиться в кого-то, обаять, стать близкой — это ее стиль. Иногда она вступает в интимные отношения в корыстных целях, к примеру, сейчас — она хочет любыми силами подружиться с этими людьми. Но при такой своей корыстной цели она искренне, всей душой сочувствует чужой Алине, страстно интересуется ее гландами, — может быть, в этом и есть секрет?

— Женечка, дорогая, Вадику наверняка хочется прогуляться по нашему участку... Покажи ему... яблони, смородину, клумбу... — предложила мама.

Ну, а иногда в нее как будто вселяется дурак, и она делает промах за промахом — как сегодня.

У калитки появилась Лидочка.

— Что это она так рано? — удивилась мама, взглянув на часы.

Обычно Лидочка болтается по магазинам до закрытия, поэтому ее приезд из города можно рассчитать поминутно.

— Сапоги! Такие сапоги! Видела! Мечта! Купи! — не обращая внимания на гостей, от калитки верещала Лидочка.

На крик на крыльцо вышла Мария с книжкой в руках.

— Теперь все мои девочки в сборе... — сказала мама, и Алина заговорщицки прошептала Сергею с показным ужасом: — О боже, сколько же их тут?

— Ох, у вас сумка Gucci, она тысячу евро стоит, у нас у одной девочки такая есть, она на распродаже купила за пятьсот, а вы свою за сколько купили? — с этими словами Лидочка присоединилась к обществу. Лидочка хищно поглядывала на Алинину сумку и наконец попросила посмотреть. Алина снисходительно поглядывала на Лидочку, сумку не дала, но вытащила из сумки брелок и подарила ей. Лидочка взвизгнула от восторга: — Ой-ой! У меня будет настоящий брелок Gucci! — Она вела себя как туземец, а Алина — как будто она миссионер и принесла туземцам подарки — леденцы.

Попрыгав с брелоком, Лидочка уселась между Вадиком и Сергеем, кокетливо вытянула сначала одну ногу, потом другую, сообщила, что умирает от усталости и виноваты в этом новые туфли — вот какие каблуки, стерла ноги до крови...

Лидочка — человек-проблема. Высокие каблуки — вывихнула ногу, делала маникюр — сломала ноготь, поела в гостях — болит живот... Все детство она провела замотанная в платок — уши, и с палочками в носу — насморк, так и ходила с оттопыренными из-за компрессов ушами и палочками в носу, как инопланетянин. Чем больше проблема, тем больше любви... Но Лидочка и сама с детства вела себя так, как будто она единственная: при малейшем подозрении, что она не предмет восхищения, она плакала, требовала, возмущалась. Вот только в гимназии Лидочке не удалось стать главной — у одной девочки платье Valentino, у другой сапоги Prada... Все эти подробные сведения Лидочка приносит домой ежедневно.

Бедная мама, это же нормальное человеческое желание — «быть не хуже людей». Но ведь это смотря каких людей мама хочет быть «не хуже»!.. Мы не бедные, как, например, тетя Ира. Отец читает лекции в западных университетах, и этого достаточно, чтобы мы все могли учиться. Мы иногда ездим за границу — когда отец едет на конференции, он по очереди берет с собой маму, Женю и меня. Но нам никак невозможно, чтобы Лидочка могла быть в гимназии «не хуже людей». Поэтому они с мамой обсуждают, где купить Лидочке такое платье и такие сапоги, чтобы была подделка под Valentino и Prada и никто в классе не узнал, что это подделка.

Мама делит Лидочкиных подружек на подруг первой категории и второй категории.

Перед подругами первой категории, дочкой директора банка и дочкой директора телеканала, мама как будто немного стыдится нашего дома и старается представить все в лучшем свете — накрывает стол со свечами, специально ездит в город за пирожными, хотя обе девочки на диете. А с подругами второй категории она просто мила и душевна, как со всеми. Я бы на Лидочкином месте возненавидела ее за это или перестала приводить домой и тех и других, но

Лидочке хоть бы что. Это у меня тяжелый характер, а у нее легкий.

— Мама, мне нужны деньги! У меня нет ни копейки! — сказала Лидочка.

Лидочка могла бы потерпеть и не выпрашивать при посторонних, но она не может потерпеть: деньги — ее больная тема.

У Лидочки сложные отношения с деньгами — никто из нас не бывает так беден, как бедная Лидочка, — у нее всегда «нет ни копейки». Но ни у кого из нас нет и стольких не терпящих отлагательств нужд, как у нее. Посудите сами, вот, к примеру, расклад расходов на субботу: суши-бар с подружками, кино, такси доехать до дома — что же тут лишнего?!

Мне не стыдно сказать, что у меня нет денег на суши-бар или на такси. А Лидочке стыдно, и из-за того, что она такая тонкая натура, деньги Лидочке дают все: мама из хозяйственных нужд, Женя из своей зарплаты — ангелам деньги не нужны, я — из денег за репетиторство, которым зарабатываю себе на личные расходы, Мария — из ее собственных карманных денег. Мария могла бы жить в бочке, как Диоген, и оттуда вещать, она рассеянно донашивает вещи за Лидочкой и поэтому иногда выглядит странно, как будто Диоген вылез из бочки и собрался на дискотеку. А Лидочка... если бы Лидочка могла, она обобрала бы нашего кота, таксу и пуделя.

— Мы ходили... это стоит... а ты дала мне... а завтра мы пойдем... это стоит... а еще я хочу купить... Вобщем, дай мне деньги!.. Почему не сейчас?! Какая разница, когда? Нет, дай сейчас!.. — постанывала Лидочка.

— Эпикур разделил человеческие потребности на естественные и неестественные, victus et amictus, — поучительно сказала Мария, решив, что ей пора принять участие в беседе. — Естественные потребности — это пища и одежда, их легко удовлетворить. Неестественные потребности — это потребности в роскоши, они не имеют границ. С другой стороны, Шопенгауэр определяет естественные потребности лишь как относительные блага, agatha pros ti, и только деньги как абсолютное благо, так как они отвечают не одной потребности in concreto, а потребности вообще in abstracto...

— Шопенгауэр излишне значительно говорил об очевидных вещах. — В дверях показался отец с таким рассеянным видом, словно сомневался, выходить из дома или нет. — «Афоризмы житейской мудрости», которые ты так любишь цитировать, Мария, безнадежно устарели. Прочитай хотя бы «Мир как воля и представление», иначе ты выглядишь напыщенной глупышкой и профаном.

Мария, покраснев, вскочила и ушла в дом, через минуту вернулась и, стоя на пороге, пробубнила: «Ничего не устарели», — и ушла окончательно.

— Мария у нас как Галилей, ей непременно нужно оставить за собой последнее слово: «А все-таки она вертится», — улыбнулся отец.

Сегодня все словно специально продемонстрировали, какое мы неординарное семейство: суетливая мама, невоспитанная Лидочка, зануда Мария, нетактичный отец.

— Это они, из Дома, уж будь добр, прими их полюбезней, — страшным шепотом прошипела мама, и отец ласково улыбнулся гостям:

— Вы, кажется, прибыли к нам издалека?

— Нет-нет, мы п-приехали из Москвы, — вежливо отозвался Вадик.

— О-о, ну да, да. Современная техника так сокращает расстояния, что вы, очевидно, смогли добраться за двое-трое суток? Вы прибыли морем?

— Мы... э-э... мы из Москвы. П-приехали, — пробормотал Вадик, растерянно оглядываясь на Сергея. Сергей, пожав плечами, показал глазами — «разбирайся сам с этим чудаком».

— Мы п-приехали из Москвы, — громко повторил Вадик.

— Да-да, я понял, — приветливо подхватил отец. — Ну-с, молодые люди, и как там у вас охота? С одной стороны, безграничные возможности — слоны, носороги, львы, буффало, леопарды. С другой стороны, представление о том, что у вас бродят непуганые стада, сильно преувеличено... Охота на львов, знаете ли, имеет свои тонкости...

Отец пробыл с нами на крыльце несколько минут, и все это время, как и просила мама, был необыкновенно любезен. И старательно, без единой оплошности изображал полную уверенность, что наши гости прибыли из Африки.

Ну что же, каждый имеет право на свою форму протеста. На молодых фотографиях отец — тонкий одухотворенный мальчик, а сейчас он тонкий одухотворенный пожилой человек, целиком погруженный в себя и Византийскую империю, и единственное его желание — не иметь никакого дела с социумом. Но изредка ему все-таки приходится спускаться вниз, и тут — такая неожиданность — мама, четыре дочери и «они, из Дома»! Бедный отец.

Отец пожелал гостям по прибытии на родину особенно остерегаться носорогов. Мама небрежно улыбалась и важничала, готовясь войти в имидж снисходительной жены гениального ученого, которому за его гениальность все позволено, но гости торопливо встали и начали прощаться, так и не узнав, что отец ученый, а не сумасшедший.

— Что вам еще посоветовать?.. Когда вернетесь домой, уделите внимание изготовлению чучел из добытых вами трофеев, — напутствовал отец. — Не забудьте, что ценность трофеев определяется прежде всего размером рогов, шкуры, черепа... Да, чуть не забыл, имейте в виду, что большой африканский куду предпочитает горы.

— Но мы в Москве... — беспомощно оглянулся вокруг Вадик.

— Помните, что африканские куду только на первый взгляд кажутся безобидными, — озабоченно предупредил отец и, немного помедлив, задумчиво добавил с видом человека, максимально исполнившего долг гостеприимства: — Будете в наших краях — заходите. Но помните — столь любимый Марией Шопенгауэр считал, что любое общество таково, что меняющий его на одиночество совершает выгодную сделку.

С этими словами отец исчез в доме.

Мама как-то странно смотрела на меня и что-то показывала лицом.

— Мама, что ты все время подмигиваешь? Я должна что-то сделать? — спросила я.

— Они сейчас уйдут! Приглашай их скорей на ужин... — прошипела мама. — Оставайтесь на ужин... У нас сегодня на ужин... Что у нас сегодня на ужин? — суетилась мама.

— Кефир и шесть булочек, — назло сказала я.

От кефира и булочек гости смешливо отказались и, попрощавшись, двинулись к калитке. Вадик оглядывался, виновато улыбаясь и разводя руками, как будто желая сказать, что с удовольствием разделил бы с нами кефир и булочки. Он очень милый человек, из тех, которые всегда чувствуют ответственность за ситуацию — в отличие от своего друга.

— В любое время! Мы всегда рады! Хоть днем, хоть ночью!.. — нервно вскрикивала вслед гостям мама.

Мама в халате представляла собой фигуру почти шекспировскую — она старалась оставаться приветливой, но на ее лице отражались отчаяние и обманутые надежды.

На этом история с гостями не закончилась.

Не прошло и десяти минут после ухода гостей, как в нашу с Женей комнату вбежала возбужденная Лидочка.

— Мне удалось подслушать такое, такое!.. — кричала Лидочка.

За ней следовала Мария с безразличным лицом — у нас дома никто не может остаться в стороне от интересного, и даже Мария, как бы она ни притворялась безразличным к суете философом, всегда хочет во всем участвовать.

— Женя, ты должна дать мне надеть свою кожаную куртку, тогда я скажу, что они про тебя сказали! — торговалась Лидочка. — Лиза, ты должна дать мне поносить свою сумку, тогда я не скажу, что они про тебя сказали!

Глупые девчонки прятались в кустах у забора — Лидочка удаляется в кусты покурить и обязательно берет с собой Марию. Лидочка картинно пускает дым, а Мария любуется Лидочкой и смотрит, не идет ли мама. Лидочкино курение — это такая кокетливая игра, с Марией она играет, что она взрослая, а с мамой — что она еще маленькая и боится, что та увидит ее с сигаретой. На самом деле мама прекрасно знает, что Лидочка курит.

Так вот, выйдя за калитку, гости тоже остановились покурить, и разговаривали они достаточно громко, чтобы Лидочка с Марией услышали все до единого слова. Этот подслушанный разговор девочки и передали нам в лицах. Вернее, Лидочка передала — у Марии нет актерских способностей, а у Лидочки есть.

— Беднота многодетная, — презрительно сказала Лидочка за Сергея.

— Да уж, нормальные люди не заводят четверых детей... Эта женщина уверяла, что у нее красивые дочки. Интересно, кого она имела в виду?.. Ну, допустим, медсестра довольно миленькая, хотя лично я не люблю такую внешность — невзрачная блондиночка... — сказала Лидочка за Алину специально противным голосом.

— Я еще никогда не видел такой красивой девушки, как Женя, — сладким голосом героя-любовника сказала Лидочка за Вадика, закатив глаза.

— Медсестра — милая девушка и, безусловно, красива. Ну, а рыжая овца не стоит даже того времени, которое мы провели в этом странном доме, — холодным тоном сказала Лидочка за Сергея и добавила уже от себя: — Лиза, это он про тебя сказал «рыжая овца»!

— Не ври! Не ври!.. Он сказал: «Рыжая овца и все остальные не стоят того времени, которое мы провели в этом странном доме», — поправила Мария. — Он не только про Лизу так сказал, а про всех нас!

— Про всех вас. Он сказал «рыжая овца и все остальные», но подумал — «все, кроме хорошенькой, очаровательной Лидочки», — холодно поправила Лидочка. — Женя, он в тебя влюбился. Тебе стоит только руку протянуть, и он твой!

— Кто? — Женя, мгновенно покраснев, рефлекторно прижала руки к щекам. — Кто мой?

— Не кто, а что. Дом, — хихикнула Лидочка.

— Как тебе не стыдно, — хором сказали мы с Женей.

— Чего это мне должно быть стыдно? — сказала Лидочка и унеслась со словами: «Пойду все расскажу маме».

Должно быть, на моем лице ясно выражалось все, что может чувствовать человек, которого назвали овцой, потому что Мария, обычно не слишком чуткая, решила меня утешить.

— В молодежном сленге «овца» — это очень оскорбительное слово, — сказала она. — Но ты, Лиза, относись к этому как Сократ. Сократ относился к оскорблениям с полным спокойствием. Однажды он получил от какого-то человека пинок в зад. Но он не обратил на это никакого внимания. А когда его спросили, почему он не стал подавать в суд, Сократ ответил: «Если бы меня лягнул осел, разве стал бы я подавать на него в суд?» Поняла?

Мы с Женей лежали в нашей крошечной комнатке, каждая на своей кровати, друг напротив друга, как сардинки в банке.

— Не огорчайся, девочки просто не расслышали или неправильно поняли... — сказала Женя. — Ты самая лучшая, самая красивая, умная...

— Спасибо на добром слове, — тоненько сказала я. — Но я и не думаю огорчаться. Как ты думаешь, я похожа на овцу?

Я вскочила с кровати и подошла к зеркалу.

Женя бормотала что-то нежное и сладкое про мою необыкновенную красоту и выдающийся ум, а я пристально смотрела на свое отражение — не похожа, нисколько не похожа! И вдруг у меня в зеркале выросла шерсть, появились рожки, лицо превратилось в овечью глупую мордочку, и я проблеяла «бе-е-е»... Да, похожа. Конечно, ему не следовало тратить на меня время...

Я горестно рассматривала себя в зеркале и расстраивалась, но самоуважение — это такая вещь, которая восстанавливается быстрей всего. Уж лучше вообще не иметь мозгов, чем находить им такое дурное применение — представлять себя овцой!.. Так что после нескольких минут депрессии я пришла к утешительной мысли: никакая я не овца!

Я не заслуживаю его внимания, а этот чужой высокомерный человек не заслуживает моего внимания! Пришел, увидел, оценил... По тому, как Сергей говорил, двигался, как автоматически пропустил вперед женщин, было понятно, что он с детства хорошо воспитан, но отчего-то не удостаивает нас проявить свое хорошее воспитание. Он с любопытством рассматривал наш дом, участок и нас как часть неживой природы и как будто тут же решил, что все это не стоит интереса. Фу, какая у него неприличная манера разглядывать человека, как будто тщательно изучать его перед тем, как съесть или отбросить в сторону! Правда, мне показалось, что и Алина им тоже оценена.

— ...Знаешь, Сергей действительно смотрел на всех нас немного свысока, но зато Вадик очень добрый, и у него... у него нежная душа, — вдруг совершенно несонным голосом сказала Женя. — Вадик похож на маленького мальчика, которому все время нужна защита, поддержка. Не смейся, так бывает, что человек тебе понравился с первого взгляда...

Не такая уж я разнузданная, сексуально озабоченная девица, и я, конечно, знаю, что настоящая любовь основана на уважении, на восхищении человеческими качествами, а не на сексе, но разве с первого взгляда могут понравиться душа, ум, характер?.. С первого взгляда человек понимает только одно — возможно иметь сексуальные отношения с этим партнером или нет.

Честно говоря, я совершенно разочарована в сексе. Мне кажется, что роль секса в жизни сильно преувеличена. По-моему, это всегда одинаково, сначала как будто тебя любят и как будто ты любишь, а потом выходит, что все это как будто, а на самом деле ничего нет.

Я бы хотела поговорить с кем-нибудь обо всем этом, но мне не с кем. Если ты с кем-то очень близок, то совершенно точно знаешь одно — о чем говорить нельзя. С Женей абсолютно невозможны любые разговоры на тему секса.

Женя у нас викторианская барышня, девственница в свои двадцать четыре года, для нее секса нет, потому что она не встретила любовь всей своей жизни. Женя создана для первой брачной ночи, перед которой нянюшка расскажет ей, что теперь ей придется подчиняться странным мужским желаниям, для ночной рубашки в кружевах, застенчивого румянца и чудом появившегося через девять месяцев младенца.

Лидочка, напротив, только и болтает о сексе, — интересно, что думает по этому поводу мама. Лидочка познает мир сама, а Мария чужими руками, Лидочкиными. Мария интересуется сексом как исследователь, а сама еще даже не целовалась, ее посланец в реальном мире — Лидочка. Страшно представить, какие разговоры ведет эта парочка, — однажды я слышала, как Лидочка рассказывала Марии о преимуществах орального секса, а она слушала как лекцию.

— Я бы хотела встретить такого человека, как Вадик, только чтобы он не был богатым, — сказала Женя. — Но мне негде... у нас в поликлинике совсем нет мужчин.

Любая бы на ее месте подумала, что симпатичный сын нефтяного магната с нежной душой — это не совсем то же самое, что ее коллега по районной поликлинике. Разве это плохо — богатство или хотя бы обеспеченность? Каждая девушка хотела бы, чтобы ее дети чувствовали себя в безопасности, жили в хорошем доме, получили хорошее образование, хотела бы красивой одежды, путешествий. Но не Женя. Ангелам не залетают в голову неангельские мысли.

Женя приподнялась на локте — розовое личико в золотом облаке.

— Я сейчас тебе кое-что скажу. Это, наверное, стыдно, но я... Я очень хочу выйти замуж.

Если мы тут же не вскочили, не бросились друг к другу, не проговорили всю ночь напролет, а просто замолчали, то лишь потому, что я хорошо знаю свою сестру. Что нового может сказать человек, с которым всю жизнь ночами лежишь рядом, как сардинки в банке?

— Что же стыдного в том, что ты хочешь выйти замуж? Это естественное желание — иметь семью, детей... — скучным голосом сказала я.

Моя сестра с шестнадцати лет заглядывает во все коляски, и не удивлюсь, если она тайком играет в куклы. Женя не требует от мира процентов за свою красоту, она у нас девушка с романтическими понятиями, но ей не нужна любовь сама по себе, например несчастная любовь, или сложные отношения, когда не можешь быть ни вместе, ни врозь, или непреодолимая страсть. Женя хочет не большой романтической любви, а маленькой и счастливой любви, которая быстро закончится свадьбой. Она хочет всего хорошего, мягкого и пушистого — чтобы у нее был свой дом, свой мужчина, свой ребенок.

— Я очень хочу ребенка, — мечтательно проговорила Женя. — Но дело совсем не в этом...

— Ну тогда что, что? Тебе неприятно, что ты не принесла маме на блюдечке суперудачный брак? Нет, не это? А что тогда? Не скажешь? Секрет? — нетерпеливо спросила я.

— Неужели ты не понимаешь? — смущенно проговорила Женя. — Ну, хорошо, я скажу. Статус. Статус замужней женщины.

Ох... ну... никогда не знаешь до конца даже самого близкого, даже свою сардинку в банке! Ангел Женя хочет иметь статус замужней женщины... Она имеет в виду, что хочет иметь статус в обществе?

— Ты хочешь быть женой преуспевающего человека? — осторожно спросила я.

— Нет, совсем не то. Ты не поняла. Если ты замужем... Если ты замужем, значит, тебя уже выбрали, — прошелестела Женя, уткнувшись в одеяло, так тихо, что я едва расслышала. — И пожалуйста, не говори больше об этом.

Что? Если ты замужем, значит, тебя уже выбрали?.. Глупости какие-то!..

Я не понимала. Не понимала, не понимала и вдруг поняла.

...Считается, что старший ребенок в семье вырастает сильным и уверенным в себе, но Женя опровергала все теории о старших детях. Когда Женя была маленькая, она старалась держаться недалеко от мамы, мы так всегда и ходили — я впереди или в стороне, а Женя с мамой за ручку. Мне было не уговорить ее отправиться в большое путешествие за калитку — к ближайшей помойке или в лес: на помойке очень страшные кошки, а в лесу очень страшные деревья, и в любом месте, дальше, чем на шаг от мамы, подстерегают смертельные опасности.

Мы с Женей долго спали при свете — она боялась заходить в темную комнату. Боялась собак, грозы, бабы-яги и страшных сказок, а при грустных поворотах сюжета в сказках или мультфильмах плакала, — я иногда закрывалась с головой одеялом и кричала «у-у!», а она пугалась... На вопрос: «Ты же знаешь, что это я, чего ты боишься?» — Женя розовела и пожимала плечами. Но ведь она знала, что это я!

В школе Женя тоже боялась — контрольных, экзаменов, учителей. Когда ее спрашивали, она всегда отвечала гораздо меньше, чем знала, и знаете, почему? Ни за что не догадаетесь — чтобы ни в коем случае не быть лучше других. Кому еще может прийти в голову такая странная мысль?

Женя была «домашним» ребенком и «домашним» подростком. Ни компаний, ни поздних возвращений, ни конфликтов с родителями, ни выпавшей из кармана пачки сигарет или припрятанной бутылки мартини, и даже никаких перепадов настроения, — она была «хорошая», как будто специально вела себя так, чтобы ее не за что было ругать... И при этом Женя была уверена, что она «неправильная дочь». Ей казалось, что она не оправдывает родительских ожиданий: у отца должна была быть умная дочь, а у мамы — успешная.

Сейчас ангел Женя точно такая, как в детстве, ее так легко растрогать, она плачет в кино или над книгой, и даже от радости может заплакать — улыбается, а слезы текут.

Внешне Женя очень спокойная, у нее как будто приглушенный звук. Лидочка может беспричинно заразиться весельем, дурачиться, у нее или бурный восторг, или рыдания, а у Жени — тихая улыбка или тихие слезы. Кажется, что она и внутри такая же безмятежная, но я-то знаю, Женя все время беспокоится, нервничает — из-за такой ерунды! Боится обидеть, боится, что кому-то плохо... Когда мы были маленькими, мама давала нам рыбий жир. Лидочка орала «не бу-уду!» и выбивала у мамы ложку из рук, Мария выдвигала научные доводы против рыбьего жира, я просто отворачивалась, а Женя безропотно глотала — иначе мама обидится.

Женя расстраивается, когда ей кажется, что к ней плохо относятся, — она очень зависит от одобрения окружающих. Если бы Женю назвали «овцой», она бы всю ночь думала: «Я не заслуживаю внимания... я и правда овца».

Вот такая наша Женя — как цветок: польют — расцветает, забудут полить — вянет. На ее золотую прелесть оглядываются на улице, а из-за этой ее болезненной неуверенности в себе все ее романы — неудачные. Женя как будто ждала, что ее бросят, вот ее и бросали.

...Мне стало так жалко Женю, так жалко... Она всего-то и хочет, чтобы ее выбрали.

Это как в детской игре, когда выбирают кого-то из круга — одного часто, а другого совсем не выбирают, и если тебя не выбирают, ты чувствуешь себя плохим, неправильным, негодным...

Я вдруг увидела Женину судьбу — как в кино. Никакого принца не будет и полупринца не будет. Выйдет замуж, как в сказке, за первого, кто посватается. Все-таки в мире нет порядка — ведь если кто-то и заслуживает счастья, то это Женя!

— Я бы хотела так выйти замуж, чтобы было как у наших родителей, — мечтательно сказала Женя. — Но ведь так не всем везет, правда?

Откуда у Жени могли возникнуть такие романтические иллюзии, если она изо дня в день наблюдает семейную жизнь наших родителей — отец с его исчезновениями у себя наверху, мама с ее неумением просто увидеть его. Женя уверена, что родители абсолютно счастливы. Иногда мне кажется, что быть таким подслеповатым ангелом, как Женя, — большая удача.

Прошло несколько дней, и мы уже знали о людях, поселившихся в Доме, все — они и не догадывались, как много нам о них известно. Если бы они были знакомы с тетей Ирой, они могли бы, в свою очередь, все узнать о нас. Но во-первых, им было это неинтересно, а во-вторых, они не были знакомы с тетей Ирой.

Тетя Ира — мамина лучшая подруга. Можно было бы сказать, что их объединяет любовь к пересудам, но это не так, мама и тетя Ира не запойные сплетницы, они запойные психологи. Мама с тетей Ирой подробно рассматривают ситуации и поведение своих родственников и знакомых, проникают в их внутренние мотивы, анализируют и аргументируют, и эта доморощенная психология необходима обеим как воздух.

Сведения о наших новых соседях поступили нам от мамы, маме — от тети Иры, тете Ире — от ее племянника, агента по недвижимости, оформлявшего покупку Дома. В Лисьем Носу всегда найдется чья-то подружка или родственник, и мама всегда будет все обо всех знать, включая внутренние мотивы, а вместе с ней и мы.

Итак, Вадик. Вадик — хозяин Дома. Вернее, Дом купил его отец, купил, не торгуясь, за три миллиона долларов. Жители нашего поселка называют таких покупателей «люди в шапках». Эти люди из небольших провинциальных городков, например Сургута или Нефтеюганска, действительно носят меховые шапки — сказывается привычка к холоду или же у них такая мода. Отец Вадика, торгующий не то нефтью, не то металлами, показался агенту очень жестким и совершенно необаятельным человеком. Он не собирался жить в Лисьем Носу, эта покупка была для него просто хорошим вложением денег — не потому, что земля и дом еще подорожают, а потому, что денег у него слишком много, а земли на заливе слишком мало. Отец велел Вадику обжить приобретение, вот он и приехал, а сколько поживет, пока и сам не знает.

Другие сведения, более интимные, поступили от тети-Ириной племянницы, которая приходила убирать Дом: отец посылал Вадика учиться бизнесу в Лондон, но сынок особых способностей к учению не выказал. Мальчик он послушный, милый, добрый, не балованный, хотя звезд с неба не хватает — да и зачем ему, при таких-то деньгах? О сестре Вадика у тети-Ириной племянницы особых сведений не было: девица как девица, как все сейчас, но держится важно и капризничает насчет еды, и пальцем проверяет, хорошо ли пыль вытерли.

Насчет друга хозяина ни агенту, тети-Ириному племяннику, ни тети-Ириной племяннице ничего неизвестно, кроме того, что он состоит при Алине и Вадике — ей он жених, а ее брату — друг или вроде того.

Фактические сведения были таковы, а в психологических выводах мама с тетей Ирой разошлись. Тетя Ира считала, что Вадик и Алина — типичные дети новых русских, он милый бездельник, а она заносчивая бездельница. Мама, многозначительно покачивая головой, говорила, что все не так примитивно, намекая на некие психологические проблемы в связи с их необаятельным отцом-нефтемагнатом.

Глава 3

Мама ходила с торжествующим, хитрым и значительным лицом, какое бывает у человека, когда жизнь подтверждает его правоту или когда его самые смелые мечты неожиданно начинают сбываться. У нас образовалась тесная связь с Домом — пылкая, совершенно неожиданная дружба Алины и Жени.

Совершенно неожиданная дружба Алины и Жени была делом маминых рук. Нехорошо интриговать и подстраивать, но не она первая совершает несколько маленьких неблаговидных поступков ради большого светлого будущего. Я имею в виду, что мама интриговала ради Жениного счастья.

Как-то дождливым вечером мама встретила Алину... собственно говоря, она встретила Алину, стоя за занавеской в нашей с Женей комнате. Мама стояла за занавеской, рассматривала соседний участок и вдруг пробормотала себе под нос:

— Алина! Вышла на крыльцо. Лицо печальное. Раскрывает зонтик.

Алина с печальным видом пыталась открыть зонтик, и мама... я уже говорила, что наши дома расположены так близко, что если открыть окно в нашей комнате, то можно перекрикиваться с соседями, даже не слишком повышая голос... И мама открыла окно и крикнула:

— Добрый вечер! Как себя чувствуешь?!

Обернувшись к нам, мама заговорщицки сказала:

— Сейчас Алина пожалуется на скуку, я посоветую ей позвать в гости Женю, Женя и Алина непременно подружатся!.. Ну, подойди к забору, подойди, подойди! Скажи: «мне скучно»!.. Скажи, скажи, скажи!

— Мама, я и не знала, что ты умеешь двигать предметы на расстоянии, — пошутила я. — Но зачем тебе Алина?

— Не мешай, — отмахнулась мама и опять забормотала: — Скажи: «мне скучно», скажи...

— Ску-учно, мне ску-учно, — пожаловалась Алина, подойдя к забору. — Знакомых в Питере у меня нет, мои мужчины уехали по делам, смотреть фильмы одной грустно... Вызвала такси, еду в город к косметологу, ужасно лень...

— Женя окончила курсы по косметологии, она отлично умеет делать косметический массаж и все остальное. Попроси ее, она не откажет, — сказала мама и подозвала Женю к окну: — Женя, иди сюда. Ты ведь не откажешь, правда?

— Сколько стоит? — деловито спросила Алина.

— Она не берет денег с друзей... — с достоинством ответила мама, придерживая Женю за руку.

— Да? А мы друзья, — обрадовалась Алина. — Тогда я отпущу такси...

На следующий день Алина сказала мне через забор:

— Твоя сестра ничего, приятная, и массаж делает неплохо. Может, надо было ей заплатить?.. Но мы же соседи.

Алина и Женя скоротали вдвоем несколько вечеров: Алине хотелось валяться на диване с маской на лице, болтать, смотреть фильмы и обсуждать отношения с Сергеем. Женя умеет слушать, а Алине был нужен слушатель — она была влюблена.

На мой вопрос Жене, зачем ей после работы приходить к чужому человеку и делать ему массажи и маски, Женя удивленно улыбнулась:

— Как зачем, как к чужому? Мы же дружим.

Дружить с Женей очень приятно — она мягкая и безопасная, она будет вникать во все мелочи чужой жизни, восхищаться, изумляться, сопереживать. Дружить с Алиной, по-моему, не так приятно, но если Жене нравится...

Мама уже начала планировать следующий ход — теперь она собиралась поближе познакомить Вадика и Женю, но судьба сделала следующий ход за маму.

...Вчера вечером Лидочка пригласила себя в ресторан.

— Я уезжаю в ресторан! Знаете, какая машина?! Audi Q7, круто! Что мне надеть? — возбужденно кричала Лидочка, вертясь как волчок по дому. — Так, девочки, быстро! Женя, где твоя лакированная сумочка, и дай мне твою заколку, быстрей!.. Ах да, чуть не забыла, они тебя тоже пригласили...

Оказалось, что, подходя к нашей калитке, Лидочка увидела отъезжающую от ворот Дома машину и не постеснялась подбежать и спросить, куда они едут.

— И слово за слово Сергей сказал: смешная девчонка, она нас развлечет, пускай едет с нами! Так и сказал, пускай едет с нами, — захлебывалась Лидочка. — И мы с ним заодно решили взять в ресторан Женю, а про Лизу и Марию он ничего не сказал, ха-ха-ха...

— Я бы и сама не поехала, а priori понятно, что неприлично навязываться, — обиженно пробормотала Мария. — А тебе, Лидочка, это должно быть понятно хотя бы a posteriori — из чужих наставлений. Мама, скажи ей, что это неприлично!

— Да-да, Мария, безусловно, права, это неприлично, — подтвердила мама. — Женя, скорей беги одеваться!..

— Мама! Об этом не может быть и речи!.. — возмутилась Женя и тут же, устыдившись своей резкости, покраснела. — Лидочка, как тебе не стыдно принимать приглашения малознакомых людей да еще нас в это впутывать... Немедленно пойди извинись и скажи, чтобы тебя не ждали!.. Мама, ну что же это? Неужели ты действительно думаешь, что я выйду к ним наряженная, как будто меня можно вызвать свистком?!

— Конечно, да! Конечно, нет! Не путай меня! — воскликнула мама. — Главное, не заказывай слишком простые блюда, чтобы они не подумали, что ты не разбираешься в этикете... На горячее лучше бери рыбу, рыба как-то изящней, чем мясо... Женя, ну что же ты стоишь, быстро одевайся!

Мама встала перед Женей в домашней позе «руки в боки» — я знаю эту ее позу, она означает «или ты сделаешь, как я сказала, или я тебе покажу!». Женя заплакала и закусила губу, — я знаю это ее выражение лица, оно означает «ни за что, лучше умру». Бедная Женя!

Я закрыла глаза и ясно, как будто смотрю фильм, кадр за кадром, представила, что произойдет в следующую минуту: Вадик открывает дверь машины, выходит из машины, открывает калитку, идет к дому... Я открыла глаза — все те же, никакого Вадика. Я снова зажмурилась, сосредоточилась, представила: Вадик открывает дверь машины, выходит из машины, открывает калитку, идет к дому, говорит: «Женя, может быть, вы...»

Через минуту раздался стук.

— Женя, может б-быть, вы... то есть, может б-быть, мы... Женя, Лиза, в общем, как насчет... Мы едем в город... хороший ресторан... — бормотал Вадик. — Это на В-Васильевском, так что вот... мосты... Я хочу сказать, мосты разводят, так что не п-поздно вернемся... Женя, Лиза, п-пожалуйста, п-поедем с нами!

Мама ласково улыбнулась, незаметно ущипнула Женю и мгновенно переменила имидж с «я тебе покажу» на имидж заботливой снисходительной матери — как она могла одновременно менять имидж, щипать и улыбаться?

Пока мы переодевались, мама провела с Вадиком свою фирменную беседу по душам. За те несколько минут, что нас не было, она наверняка успела выспросить его про его первую учительницу, первый поцелуй, первый миллион...

Мы все трое оказались в черном. Я — в романтическом платье с низкой талией с воротничком из белых вязаных кружев, Лидочка в маленьком черном платье, не том, что «должно быть в гардеробе каждой женщины», а таком маленьком, что его почти не видно на теле, зато видна кружевная резинка чулок, и Женя — в пышном бальном платье со шлейфом... Нет, конечно, нет, а жаль, ей бы подошло жить в девятнадцатом веке... Женя была в черных брюках и черной кофточке из «Манго», в золотых волосах черная бархатная лента.

— Сексуально? — покрутилась перед нами Лидочка и сама себе ответила: — Очень сексуально.

— Сексуально, — подтвердила мама и заговорщицки кивнула Вадику на Женю: — Красавица, правда?

Вадик растерянно улыбнулся. Вид у него был как у всех, кто ненадолго остается с мамой наедине, — смущенный и немного ошарашенный.

— Не поздно, не рано, не ведите машину быстро, не простудитесь на сквозняке, — подталкивая нас к калитке, бормотала мама, как будто мы, трое в черном, ангел Женя, сексуальная Лидочка и я в воротничке из белых вязаных кружев, уезжали не на Васильевский до сведения мостов, а в кругосветное путешествие.

— А в машине пять мест. А нас шестеро, — заметила Лидочка, когда мы подошли к машине.

Мы с Женей хором сказали: «Я не поеду»... Но в этой машине было семь мест.

Лидочка рассчитывала на роскошный ресторан, и пока мы поднимались по обычной лестнице обычного дома, недовольно морщилась и ворчала себе под нос: «Как будто нормальных мест мало, спросили бы меня, если не знают», — но, услышав, что это закрытый ресторан, повеселела.

На двери квартиры, единственной на площадке, было множество звонков, как раньше в коммуналках, и висел шнур, как хвост у Иа-Иа, за этот хвост и нужно было дергать, но у Сергея был ключ, которым он и открыл дверь. Хорошая идея — дать посетителям ключ, как будто они приходят к себе домой.

— Сюда только своих пускают? А мне дадут ключ? — верещала Лидочка. — Ой, а тут музыки нет, только два каких-то тухлых скрипача... а как же я буду танцевать?.. Лучше бы вы меня спросили, я знаю одно прикольное место, там поют караоке...

В единственном зале, похожем на просто комнату, стояли столы, покрытые белыми скатертями, по стенам были развешены черно-белые фотографии.

— Никакого гламура, — разочарованно вздохнула Лидочка и, заглянув в меню, засмеялась: — Фу, здесь дают сырники, яичницу… Может, пойдем отсюда?

— А вам, Женя, вам т-тоже не нравится? — волновался Вадик. — Где вы обычно б-бываете?

Женя мягко улыбнулась:

— Мне здесь очень нравится. Я никогда не была в закрытом ресторане. Снаружи обычная квартира, а внутри так красиво.

Алина довольно улыбнулась и громко прошептала Сергею:

— Милая девочка, простая, бесхитростная, ничего из себя не изображает, она мне ужасно нравится.

Алинины слова звучали немного пренебрежительно, как будто она звезда, которой приходится смотреть самодеятельность в деревенском клубе, и она старается быть снисходительной и приветливой. Но, в конце концов, она же не хотела, чтобы ее услышали. Тем более с самой Женей она обращалась совсем не так, как говорила о ней. Я часто замечала, что мы можем насмешливо отзываться о ком-то, но когда мы говорим с этим человеком, мы уже относимся к нему иначе, лучше. Всегда есть влияние человека, а от Жени исходят такое искреннее непонимание плохого и такая доброта, что даже Алина не может не относиться к ней с восхищением. Женя — достойный человек, естественный, как лен или хлопок, человек,

75

который боится всего — проехать без билета, узнать у прохожего адрес, громко высказать свое мнение, но нисколько не боится того, чего обычно боятся все, — что он не там работает, не так одет, не так развлекается и вообще не в курсе.

Я не такой достойный человек, как Женя, я часто стесняюсь показаться наивной, неопытной, несветской, но тоже не стала притворяться, что я бывалый посетитель закрытых ресторанов, — это дурной тон. Я имею в виду не врать дурной тон, а краснеть, когда твое вранье раскроют. Я почти никогда не вру — из гордости.

Меню в этом ресторане было замечательное: котлеты с пюре, гуляш с гречневой кашей, и даже паста называлась «макароны», как будто это домашняя еда у мамы на кухне. В меню не были проставлены цены, как бывает в по-настоящему дорогих местах, где посетителям безразлично, сколько стоят их пюре или гуляш с гречневой кашей. Поэтому Лидочке не удалось последовать маминому совету и заказать что-нибудь подороже, и она просто заказала все, что любит — винегрет, холодец, селедку под шубой, салат оливье, куриные котлеты, мороженое, торт, фрукты и два мохито...

— У меня волчий аппетит, — пояснила она.

Пока Лидочка перечисляла все, что она хочет, Сергей едва сдерживал улыбку, Алина смотрела на нее с легким неудовольствием, как на невоспитанного щенка, Женя краснела, Вадик любовался Женей, а я всерьез задумалась — уж не подменили ли нам Лидочку в роддоме? Воспитывали нас одинаково, никто не нашептывал Лидочке на ночь: «Расти большой и нахальной...» Откуда у нее волчий аппетит к мохито? Неужели наша Лидочка — подкидыш?..

— Нет, лучше сразу три мохито, — попросила Лидочка.

А может быть, Лидочка — внебрачная дочь, дитя греха. В этом случае главное — не признаваться родителям, что мы разгадали их тайну, а дитя греха жалеть, кормить и не подавать виду, что оно чужое в семье...

Этими глупыми мыслями я развлекала себя весь вечер, потому что больше мне делать было совершенно нечего — не считая, конечно, шницеля с жареной картошкой, который я заказала назло маме, хотя больше люблю рыбу.

Несколько раз за вечер к нам подходил официант поинтересоваться, все ли хорошо с нашим заказом. Мне он сказал: «Ну, вас я не спрашиваю, я и так вижу, что вы довольны».

Я быстро подняла глаза — наискосок от нашего стола стоял старинный буфет с зеркалом, — в зеркале я действительно выглядела чрезвычайно довольной.

Но я была счастлива вовсе не шницелем с картошкой.

Женя с Вадиком сидели в нише на диване и как будто выпали из общего пространства и общего разговора. Наверное, модный ресторан — это не то место, где мгновенно вспыхивает настоящая любовь, и теперь, после этого ресторана, только смерть разлучит Вадика и Женю... Наверное, в прошлом Вадика было все, что ему полагалось иметь в прошлом, — красивая жизнь, курение травки в колледже, брошенные цветочницы. Но выглядел он совершенно как влюбленный мальчик в детском саду!.. Женя улыбалась, и Вадик улыбался, Женя серьезно взглядывала на него, и он тут же становился серьезным. А во время десерта Женя покраснела и как будто привстала, собираясь уйти, — прохладно-вежливую Женю нельзя якобы случайно обнять, — и Вадик тут же виновато улыбнулся, покраснел и украдкой дотронулся до ее руки.

По другую сторону стола в такой же нише на диване сидела вторая парочка, Сергей с Алиной, а мы с Лидочкой оказались лишними. Я молчала, за весь вечер я произнесла одну фразу: «Я не буду десерт», — и обдумывала вторую: «Спасибо за приятный вечер», а Лидочка пыталась вмешиваться в разговор Вадика с Женей, но они ее не замечали. Обиженная Лидочка сделала вид, что переглядывается с кем-то за соседним столом, — улыбалась, подмигивала и кокетливо поднимала бокал. Я оглянулась — за соседним столом сидели две пожилые женщины, и ни одна из них и не думала переглядываться с Лидочкой.

Алина вела себя с Сергеем, как будто он ее законная собственность: он предпочитает рыбу мясу, никогда не ест гарнир, сегодня очень крепко спал, она еле его разбудила, надел зеленую рубашку вместо голубой, той, что она ему приготовила. Сергей небрежно кивал и, не извинившись, выходил разговаривать по телефону. Мне было жаль Алину: она была так очевидно влюблена, а он так очевидно не влюблен...

— У него достаточно бабла, чтобы купить все акции, — возвращаясь к столу, сказал Сергей в телефон и, нажав отбой, улыбнулся мне: — Вы так сморщились, Лиза, как будто видите перед собой какую-то гадость...

— Мурло добыло бабло — повезло... — пробормотала я. — Простите... я не о вас, а о русском языке. Не люблю это слово.

— А по-моему, нормальное слово, — раздраженно возразила Алина. — По-моему, кое-кто умничает и старается показаться особенной.

— Ты думаешь, умные и особенные не любят слово «бабло»? — с сомнением повторила я. — Возможно, ты права, умные и особенные не любят слово «бабло».

Сергей хмыкнул и перевел взгляд с меня на Алину, с Алины на меня, как будто мы две кобылки и гарцуем на манеже, показываем ему себя, а он сейчас поставит нам оценку.

— Чем вы занимаетесь, Лиза? — спросил Сергей.

— Я пишу... — расплывчато сказала я.

Когда я сообщаю, что именно я пишу, люди сразу же говорят «о-о!» и больше уже ничего не говорят.

— Роман? — настаивал Сергей.

— Диплом. На кафедре «Теория вероятности и математическая статистика», мой диплом называется «Специальная теория относительности и релятивистская астрофизика», — тонким голосом сказала я.

— Бр-р, — поежилась Алина. — Ты не обижайся, но это как-то не женственно... Я, например, изучаю дизайн. Если что, дизайн всегда пригодится — дом обставить, бутик открыть... Почему ты не хотела стать... ну, кем все, бухгалтером, менеджером или еще что-нибудь конкретное? Есть же какие-то профессии, которые подходят девушкам из бедных... я хочу сказать, девушкам. Не можешь же ты всерьез интересоваться этим, как его... Ты что, такая умная, Лиза?

— Я? Нет, не особенно, — рассеянно ответила я. — При чем здесь ум?

Я хотела учиться на факультете прикладной математики, потому что любила решать задачки и потому что математика тренирует мозг.

Иногда мне кажется, что я хочу заниматься только математикой, а иногда я думаю: зачем мне всю жизнь тренировать мой мозг, как будто я собираюсь выставлять его на Олимпийские игры? Иногда я хочу стать врачом, иногда актрисой, а иногда изучать индийскую филологию, или философию тюркской культуры, или искусство стран Древнего Востока. Но и релятивистская астрофизика — это очень интересно!

— Бедная ты, Лиза, так и просидишь где-нибудь за компьютером всю жизнь, — посочувствовала Алина. — Твоя мама просто обязана была сказать тебе, что девочке это не подходит. Или она специально отправила тебя на факультет, где одни мальчики, чтобы ты поскорей замуж вышла?

Я кивнула:

— Молодец, догадалась. Так все и было. Мама сказала: «Там одни мальчики, замуж выйдешь...» Но маме это так просто не пройдет, она у меня узнает, как посылать ни в чем не повинного человека на прикладную математику! Я обдумываю страшную месть — навсегда остаться старой девой...

Сергей посмотрел на меня насмешливо, словно хотел сказать — ты не старая дева и вообще не дева...

Конечно, в моей жизни было все, что полагается. В детском саду мне нравился мальчик, с которым я спала во время тихого часа — наши раскладушки стояли рядом. От него я узнала, чем мальчики отличаются от девочек.

В первом классе мне нравился мой сосед по парте. От него я узнала, как это больно, когда тебя отвергают. Я считала, раз уж мы сидим за одной партой, то это дает мне на него особые права, но он был человек очень жесткий и держался отстраненно, не считая тех редких минут близости, когда он у меня списывал.

В университете у меня, как у всех, был первый курс, первая любовь, первый поцелуй, первый секс, три романа с однокурсниками и два с преподавателями... всего пять романов, по одному на каждый курс.

— А вы, Сергей, чем занимаетесь? — поспешно спросила я, чтобы скрыть смущение.

Сергей не ответил мне всерьез, небрежно пробормотал:

— Да так, то одним, то другим.

О Вадике мы знали все, а о Сергее у тети Иры сведений не было. Что их связывает, почему Сергей опекает Вадика, почему один управляет, а другой позволяет собой управлять?

Предположим, отец Вадика инвестирует какой-то проект Сергея и за это попросил взять под присмотр двоечника Вадика. Сергей не может отказать своему инвестору, вот и присматривает за Вадиком, тем более что это ему не трудно — Вадик смотрит ему в рот, восхищается.

Еще один вариант: у Сергея пока нет никаких проектов, но он хочет сделать что-то за счет отца Вадика и поэтому присосался к сыну миллионера. Заодно спит с дочерью миллионера, которая влюблена в него. Подчинил себе и недалекого добродушного брата, и влюбленную сестру — как в романе! Я мысленно примерила к Сергею черную бороду злодея из страшненького готического романа — ему подходит.

— Мама говорит, что вся будущая жизнь определяется замужеством, а не теорией относительности, — авторитетно заявила Лидочка.

— Ваша мама права, — отозвался Сергей. — Лиза, вам нужно правильно выйти замуж. Прежде общество было не настолько разделено, и у женщины была возможность среднеприличного устройства жизни — высшее образование, работа, зарплата. Но сейчас общество так четко разделилось, что удачное замужество — это единственный шанс, который сможет переставить вас с одной социальной ступени на другую.

Мама права? Вся будущая жизнь определяется замужеством?..

Мама права: вся будущая жизнь определяется замужеством.

— Лиза говорила, что выйдет замуж только по расчету, — сказала Лидочка и в ответ на мой красноречивый взгляд воинственно добавила: — Что ты так на меня смотришь?! Ты говорила, говорила! Что ни за что не выйдешь замуж за своего однокурсника, потому что не хочешь всю жизнь обсуждать теорию относительности, что ты не хочешь всю жизнь сидеть в Лисьем Носу, хочешь увидеть мир, а не только Турцию! Что, нет?!

Я сердито смотрела на Лидочку — так бы и дала салфеткой по ее любопытному носу! Оказывается, эта маленькая дрянь подслушивает мои разговоры с Женей! Но когда человек подслушивает под дверью, он упускает из виду нюансы, а с ними и весь смысл!

Во-первых, мне никто не делал предложения, а во-вторых, я говорила совсем о другом!.. Теперь Сергей и Алина подумают, что я корыстная, что я хочу выйти замуж за человека, у которого много денег...

На самом деле я не корыстная, я прагматичная, я точно знаю, что мне нужно. Женя хочет выйти замуж, и я хочу выйти замуж, только совсем по другим соображениям, не таким мягким и пушистым, как у моей сестры.

Я хочу выйти замуж за человека, у которого будет не много денег, а много жизни. Мой муж должен быть не обычный человек, который вечерами сидит дома, не имеет порочных наклонностей и живет, чтобы получать зарплату. Выйти замуж за своего однокурсника, будущего программиста, и всю жизнь обсуждать с ним теорию относительности, или за предпринимателя, и увлечься производством керамической плитки, быстрорастворимыми кашами, строительством — нет, так я не играю!..

Мой муж должен быть особенный человек. К примеру, ученый, как отец, и я обязательно буду в курсе его научных интересов. Или художник, а может быть, писатель, и я буду обсуждать с ним его планы, идеи, персонажей. Возможно, режиссер, и я буду принимать участие в кастинге и вмешиваться в творческий процесс. Я хочу интересную жизнь! Звучит все это, как будто я дура, которая считает, что именно ей положено что-то необыкновенное, но я не дура, все-таки мой диплом называется «Специальная теория относительности и релятивистская астрофизика».

— Молодец, вы современная девушка, охотница за богатством, — улыбнулся Сергей.

Ну, погоди, Лидочка, я тебе покажу, как подслушивать, переиначивать все по-своему и позорить меня!.. С другой стороны, Лидочка не так уж и виновата — она еще ребенок.

— Да, я такая. Я выйду замуж только за принца, — подтвердила я.

Мне, в сущности, совершенно безразлично, что думает обо мне Сергей, — пусть уж заодно думает, что я полная идиотка.

— Ха-ха, — насмешливо откликнулась Алина, — ха-ха. Принц. А если нет?

— Ну... у меня еще есть время примириться с реальностью, подожду принца до восьмидесяти лет и тогда уже выйду замуж за однокурсника-программиста и наконец увижу Турцию...

— Замуж по расчету — это твой единственный шанс в жизни, — снисходительно согласилась Алина. — Тем более ты из неблагополучной семьи.

— Из неблагополучной семьи? — с недоумением повторила я. — Я из неблагополучной семьи?

— Ну, прости, я не хотела тебя обидеть, просто вырвалось... многодетная семья и все такое...

Пока я краснела, бледнела и раздумывала, что будет приличней — вцепиться ей в волосы или расцарапать физиономию, вмешалась Лидочка.

— Слушайте все меня. Я тут читала одну книжку про любовь, — весомо сказала она.

Лидочка читала книжку!.. Про любовь! Что же это, «Ромео и Джульетта», «Джейн Эйр», «Гордость и предубеждение»?

— «Как выйти замуж за миллионера», — гордо произнесла Лидочка. — Очень правильная книжка. Как поймать миллионера, каждая дура знает, это вообще элементарно. А там написано самое главное —

где его взять. Куда ходить, чтобы познакомиться. Правда, это больше в Москве... Но в Питере тоже есть места, где водятся богатые женихи.

— Где водятся богатые женихи?.. Да вот же он, перед тобой... — Сергей кивнул на Вадика и попросил счет. — Хотя... похоже, этот жених уже занят. Эй, о чем вы весь вечер шепчетесь, — об анализах?

Официант подал кожаную папочку со счетом Сергею как старшему из мужчин, но он, не открыв, протянул ее через стол Вадику.

— Плати, жених, — ухмыльнулся Сергей.

Вадик послушно достал бумажник, заплатил по счету. Когда принесли сдачу, Сергей открыл папочку, отсчитал чаевые, а оставшиеся деньги сунул себе в карман. Что же это, как он мог, у всех на глазах!..

После этой сцены все стало совершенно очевидно — кто такой Сергей и зачем ему брат с сестрой. Нет у Сергея никакого проекта и инвестора, нет у него никакой зловещей черной бороды. Сергей не предприниматель, не злодей, не искатель богатых невест, он — приживал.

Раньше было такое понятие — «приживалка». Приживалка — это женщина, не имеющая собственных средств, живущая на иждивении богатых родственников, в обмен на приют отдающая им тепло, ласку, уступающая всем их прихотям. Слово «приживалка» ушло в прошлое — я, например, не встречала в жизни ни одной приживалки, но появились мужчины-приживалы. Мужчин-приживалов я встречала, не часто, но встречала, и один приживал даже за мной ухаживал — дарил мне цветы на деньги своего патрона, представьте!

Приживал — это человек, у которого нет денег на тот образ жизни, который ему хочется вести, — рестораны, клубы, поездки, но он получает все это от богатого приятеля. В обмен на это приживал служит ему компаньоном: учится за него, развлекает, выполняет за него все неприятные или хлопотные дела.

Сергей — приживал, юзер, искатель выгоды, компаньон богатого простодушного Вадика. Вадик предоставляет ему приятный образ жизни, а в обмен получает дружбу и руководство. Кстати, именно потому, что Сергей приживал, он с одобрением сказал мне: «Молодец, современная девушка, охотница за богатством». Он подумал, что я такая же, как он!.. Ужас?.. Ужас. Гадость?.. Гадость.

Самое приятное в любом событии — это то, что его можно потом обсудить. Так считает мама.

— А он? А она? — спрашивала мама. — Ну а потом что?

Лидочка пересказывала маме подробности сегодняшнего вечера — что мы ели, что пили, кто что сказал, а мы с Женей сделали вид, что очень устали и хотим спать.

— Он очень хороший, он как плюшевый мишка, такой уютный и безопасный, — нежно сказала Женя, когда мы с ней улеглись и погасили свет.

Женя уже взрослая и не боится засыпать без света, но всегда чего-то боится. Что это за характеристика мужчины — «плюшевый мишка»?! И что означает «безопасный»?! Как будто все остальные люди представляют какую-то опасность!

Я хотела сказать, что Вадик в нее влюбился, и повысить ее самооценку, но я никогда не знаю, как правильно поступить — а если он больше никогда не появится, ее самооценка опять упадет...

— Вадик хочет завтра утром отвезти меня на работу, — сказала Женя, — а вечером встретить с работы и куда-нибудь сходить вдвоем. В театр. Или в ресторан. Как ты думаешь, можно мне быть в джинсах или нужно надеть что-нибудь нарядное и взять с собой туфли?

— Он в тебя влюбился. — Я решила все-таки повысить ее самооценку.

— Ты что? Не может быть... — пугливо отозвалась Женя. — Он такой...

— Я уже слышала — как плюшевый мишка, — прервала я. — Джинсы. Ничего нарядного. И никаких туфель. В Ковент-Гарден даже не сдают пальто в гардероб, а ты — туфли... Не понесешь же ты туфли в пакете, как провинциалка!

— Хорошо, — послушно сказала Женя. — А как тебе Сергей? Приятный человек, правда? Он так тепло относится к Вадику, как старший брат...

— Приятный?! — возмутилась я. — Ужас. Гадость. Не хочу даже говорить о нем и думать не хочу.

Но я о нем думала.

Я математик, у меня развито левое полушарие мозга, которое отвечает за логическое мышление, я всегда сначала думаю, а потом чувствую. Думала я о Сергее очень плохо, но как же еще можно думать о мужчине, который позволяет за себя платить, сгребает чужую сдачу в ресторане, одобряет брак по расчету?!

А чувствовала я злость. Злилась на него: он меня обманул, обманул своим мужественным видом, красивым голосом, обаянием, а сам оказался недостойным человеком. Злилась на себя: стыдно, когда тебя бросает то в жар, то в холод при взгляде на человека, которого не уважаешь. Стыдно испытывать физическое влечение к человеку, которого не уважаешь. Я, конечно, не влюблена в него, но мне просто интересно — разве можно влюбиться в человека, которого не уважаешь?

— Женя, как ты думаешь, можно любить кого-то, сознавая, что он непорядочный человек? Плохой человек?

— Конечно да, — не задумываясь, ответила моя сестра. — Как в «Крестном отце», помнишь? Она узнала, что ее муж — глава мафиозного клана, и ушла от него, а потом решила, что она его любит, он отец ее детей... а за все остальное она будет молиться.

— Ну да, он глава мафиозного клана, но добрый... Или трус, но умный, или жадина, но красивый, или

89

приживал и альфонс, но нравится мне как мужчина? Нет, я бы не могла полюбить плохого человека.

— Ты о ком говоришь? — удивилась Женя. — Вадик очень порядочный!

Да, конечно. Плюшевый мишка никак не может быть главой мафиозного клана.

Наутро машина Вадика стояла у нашей калитки, и мама с умиленным лицом наблюдала из окна, как Лидочка бежала, чтобы первой забраться на переднее сиденье, за ней с отсутствующим видом брела Мария. Вадик открыл Жене переднюю дверь, Женя смущенно села вперед, а девочки, толкаясь, залезли на заднее сиденье.

Всю следующую неделю мама явно чувствовала себя человеком, который потихоньку договорился с судьбой об очень хорошем правильном деле, а теперь удовлетворенно наблюдает за развитием событий.

Женя цвела розовым цветом, была нежная и задумчивая, сдержанная, холодновато-спокойная — в общем, выглядела совершенно такой же, как обычно, но я-то видела, что она светится от счастья. Каждое утро Вадик отвозил Женю на работу и привозил вечером домой, и следующим утром перед нашей калиткой опять стояла его машина. Маму удивляло только одно — что это все еще Audi Q7 Вадика, а не машина со свадебными кольцами. Теперь Женя с Вадиком уезжали вдвоем, Лидочка и

Мария демонстративно проходили мимо его машины со словами: «Мама не разрешает вам мешать».

Мама каждый день исчезала с таинственным лицом и возвращалась в странном легкомысленно-светском имидже, то в новой шляпке с вуалью, то в длинных кружевных перчатках к вечернему платью. Оказалось, мама примеряет к себе имидж матери невесты.

Мама привозила из города свадебные журналы, рассматривала свадебные платья и обдумывала, как должны быть одеты мать невесты и ее лучшая подруга.

Тетя Ира — мамина лучшая подруга, а ее дочь Люда — моя подруга, хоть она и старше меня — Люде двадцать семь лет. Она врач-гинеколог в роддоме и больше всего на свете любит принимать роды. Говорит, что это совершенно особое чувство, как будто она бог и дает человеку жизнь. Люда только о своей работе говорит так возвышенно, а в остальном она рассудительная и ироничная, не слишком эмоциональная, даже суховатая. Мама ее недолюбливает, считает, что Люда «слишком уверена в себе для некрасивой девушки, которая никогда не выйдет замуж».

Мама говорит: «Мамочек забирают счастливые мужья, а наша Люда... Кто до тридцати лет замуж не вышел, тот не вышел». Она уверена, что Люда просто делает хорошую мину при плохой игре, но мама из тех людей, которые обо всех судят по себе, и не может поверить, что Люде нисколько не нужно замуж. Люда говорит о себе: «Моя судьба — состоять при чужом счастье». Тетя Ира часто вздыхает: «Обе наши девочки, и моя Люда, и твоя Женя, при чужом счастье, при чужих детях, так и останутся непристроенные», а мама отвечает: «Ну, ты не сравнивай несравнимые вещи!» Несравнимые вещи — это Люда и Женя.

У тети Иры с мамой многолетние дружеские военные отношения. Кто-то из них всегда наступает, отступает, выигрывает, проигрывает, объявляет временное перемирие.

Удивительно, что при этом они очень преданы друг другу. Люда считает, что такая дружба-война заменяет им эмоциональные отношения с мужчинами — у тети Иры нет мужа, а у мамы есть, но наверху.

Тетя Ира и Люда забегают к нам почти каждый день без приглашения, но в этот раз мама специально пригласила их «кое-что отметить» и даже купила пирожные в «Севере», эклеры и корзиночки.

Мама рассматривала журналы, кроша пирожными на фотографии свадебных платьев, и изо всех сил хвасталась тете Ире и Люде, что будет делать Женя в качестве жены богатого мужа.

— Вот это мне особенно нравится. — Мама показала на платье с мелкими прозрачными воланами по всей юбке, от талии до пола, невеста в них была похожа на страуса. — Или нет, пожалуй, это слишком простенькое, можно найти что-нибудь более подходящее для Жениного статуса...

— А фата? — спросила тетя Ира. — Фата чтобы была обязательно. Уж кому и фата, как не Жене... Счастливая ты, Бог твою Женю заметил... — вздохнула тетя Ира и тут же торгующимся голосом добавила: — Хотя твоя Женя без образования, а моя Люда — бог, дает человеку жизнь... И где счастье? Счастья нет. — Тетя Ира взяла эклер и мечтательно проговорила: — А я вот возьму и выйду замуж по Интернету — за иностранца. Я по-английски не говорю, поэтому никогда не пойму его до конца, будет хотя бы загадка...

— С чего ты взяла, что иностранец на тебе женится? — строго спросила мама таким напряженным голосом, словно уже видела тетю Иру хозяйкой виллы на берегу моря или дома в горах.

— Ну, я же все-таки историческая личность... — скромно улыбнулась тетя Ира. — Они это ценят.

Тетя Ира — историческая личность, потому что тети-Ирина бабушка видела Ленина. Когда создатель советского государства прятался в шалаше в Разливе (Разлив находится так близко от Лисьего Носа, как будто это соседняя деревня), он как-то раз дал тети-Ириной бабушке конфету. Конфета не сохранилась, но все это не шутка, а настоящее семейное предание, бережно хранимое в тети-Ириной семье. Из-за той конфеты вся тети-Ира семья до сих пор голосует за коммунистов, и только Люда не чувствует благодарности за конфету — она равнодушна к политике и голосовать ей некогда.

— Вадик хочет справлять свадьбу на острове или на яхте... Но я думаю, нужно поскромней, без этой безвкусной роскоши... Ездила в город посмотреть залы для свадьбы, была в «Астории» и в «Европейской». В «Астории» — ни за что! Банкетный зал без окон, похож на крематорий... А в «Европейской» совсем неплохо, — сказала мама и доверительно прошептала: — Ты же понимаешь, Ира, деньги для нас не проблема...

— Дорогая, Женя тебе сказала про свадьбу на острове или на яхте, — уточнила тетя Ира, — или это твое воображение? У тебя такое богатое воображение!..

— Дорогая, у меня вообще нет никакого воображения, — возразила мама и снисходительно объяснила: — Остров и яхта — это не мое воображение, а мой жизненный опыт. Я что, слепая, не вижу, что происходит? Не-ет, тут очень серьезные намерения. Кто сейчас так красиво ухаживает, как Вадик? Сейчас сразу же тащат в постель. Я не ханжа и не возражала бы, если бы Женя позволила ему до свадьбы... но она не позволила! И не говорите мне, что девственность в наше время ничего не стоит — жизнь всегда одинакова! И каждый мужчина хочет, чтобы невеста была невестой!

— Сейчас даже рекомендуют это... ну, ты понимаешь, это... до свадьбы, чтобы понять, подходят ли люди друг другу... — осторожно сказала тетя Ира.

Мама прервала ее на полуслове:

— Люда! Скажи как врач: сейчас ведь нет проблем с предохранением?

— Да, конечно, — кивнула Люда, — мы рекомендуем...

— Тогда почему у вас в роддоме каждая третья мамочка незамужняя? — торжествующе спросила мама и как бы в скобках добавила: — Я бы умерла, если бы моя Женя родила без мужа...

Это было нехорошо с ее стороны, потому что младшая тети-Ирина дочь как раз родила без мужа... Мама не злая, просто в полемическом задоре теряет голову.

Тетя Ира обидчиво вскинулась:

— Случайно родить без мужа — такое может произойти с каждым, то есть с каждой...

— Ну прости, прости меня, дорогая, я не имела в виду твою бедную девочку, ну хочешь, убей меня на месте... Ну съешь еще эклерчик, ну давайте же поговорим о чем-нибудь другом, о приятном для всех нас, например, о Жениной свадьбе, — виновато предложила мама. — Я так рада, что Вадик — обеспеченный человек и Жене уже больше никогда не придется работать... Но Женя не из тех людей, которые зазнаются от больших денег, и ты и Люда навсегда останетесь ей своими, близкими людьми... Конечно, положение моей Жени и твоей Люды теперь совсем разное, но подруга детства есть подруга детства...

Мы с Людой переглянулись, я сказала глазами «прости», а Люда ответила «ну что ты».

— Дорогая, зато твоя Люда останется при тебе, будет всегда жить с тобой рядом... — утешала тетю Иру мама. — А Женечка моя будет жить от меня далеко, в Англии или в Москве... В Лисьем Носу они будут бывать совсем немного. Но прислуга в Доме ей все равно понадобится, так что ты не беспокойся, твои родственники без работы не останутся...

Бедная тетя Ира совсем сникла.

— Вот только одно меня в этом браке смущает... — Мама оглянулась по сторонам, словно из-за соседского забора могли высунуться чьи-то уши, и прошептала: — Этот брак все же в некотором смысле мезальянс...

Мезальянс? По-моему, это слова из романов — «мезальянс», «морганатический брак»... Может быть, мы королевская семья, а я не знала?

— Женя — девушка из хорошей семьи, — объяснила мама, — а Вадик — человек другого круга, попроще... Вот ты, Ира, ты же не хочешь, чтобы Люда вышла замуж за сантехника?

На тети-Ирином лице отразилось сомнение, казалось, она колебалась, оценивая ситуацию — выходить Люде замуж за сантехника или нет, и решила — а что, можно и выйти.

— Если бы отец Вадика был сантехник, он не сумел бы купить Дом за три миллиона долларов, — резонно возразила она.

— Я образно говорю, — сказала мама, кокетливо изображая колебание. — Ну, кто его отец? Дикий человек с Севера. А мы знаменитые ученые. То есть Женин отец — знаменитый ученый. Эти люди с Севера должны быть счастливы с нами породниться. ...Как ты думаешь, Жене понадобится секретарша? У женщины, занимающей такое положение в обществе, как моя Женя, всегда много дел, благотворительность и... всякое такое. А твоя племянница сможет порекомендовать какую-нибудь простую милую девушку для стирки и глажки?

Отец во всем этом никакого участия не принимал — ни в рассматривании свадебных журналов, ни в виртуальном подборе прислуги в Дом. Мама несколько раз многозначительно сказала ему: «У нас скоро произойдет большое радостное событие», но он только кивнул, не поинтересовавшись, какое именно событие — свадьба, защита диплома, выпускной бал... Но мама не рассердилась на него, как обычно, за безучастность и равнодушие, а наоборот, вела себя как ангел.

Мама была счастлива — мечтала, как будет с подчеркнуто демократичным видом нанимать прислугу в Дом, покровительствовать соседям, как выдаст нас замуж за друзей Вадика, таких же богатых, как сам Вадик. Мама мысленно наряжала Женю в платье, в котором она будет похожа на страуса, рассаживала гостей за свадебным столом то в «Астории», то в «Европейской»... И вдруг Вадик исчез.

Глава 4

Как сказала мама — наши дорогие соседи, с которыми нас давно связывает такая тесная, такая близкая дружба, исчезли, как будто их корова слизнула языком. Вадик не появлялся уже четвертый день. И Алина не приглашала Женю к себе...

Вопрос, который занимал маму: почему троица уже который день безвылазно торчала дома, словно помещики в имении? Вернее, не вся троица, а Вадик с Алиной. Сергей уезжал утром и возвращался к вечеру, а брат с сестрой оставались дома. Почему они не показывали носу на улицу? Что за страшная тайна держала их за забором?..

Вопрос, который занимал Женю: что она сделала плохого, за что ее опять бросили? Я так хорошо знала, что думает Женя, как будто сидела у нее в голове: Женя думала, что ее рассмотрели поближе и отвергли, отбросили. Что она неправильная, что она опять получила двойку...

Вопрос, который занимал меня: что мне сделать, чтобы Женя не плакала по ночам в нашей комнате, думая, что я сплю?..

Мама лежала у себя в комнате с полотенцем на голове. Мы с Женей приносили ей свежее, намоченное холодной водой полотенце, чай, бутерброды, бульон и куриные котлеты с рисом. Несправедливо, что нужно было ее утешать, но Женя выглядела такой же прозрачно-спокойной, как обычно, а мама всегда умудряется устроить все так, чтобы быть главным действующим лицом.

— Здесь какая-то тайна. Ужасная тайна... Это сводит меня с ума и совершенно лишает аппетита к жизни, — сказала мама, беспомощным жестом придвигая к себе тарелку с курицей и рисом.

— Мама, пожалуйста... мало ли причин, по которым люди решают, что они больше не хотят общаться... — покраснела Женя.

— Тебе все как с гуся вода, а я страдаю, — всхлипнула мама, воткнув вилку в куриную котлету, и мы на цыпочках вышли из комнаты.

И хотя я гипнотизировала Женин телефон, как анаконда кролика, кролик молчал, то есть телефон молчал.

Вечером к нам пришла Люда, поднялась к нам в комнату, спросила: «Девочки, можно мне с вами тихо посидеть, я не буду ни о чем спрашивать».

Мы тихо сидели и ни о чем не спрашивали Женю и вдруг услышали голос за дверью: «Если жизнь дает что-нибудь, то лишь для того, чтобы отнять. Шопенгауэр». Затем за дверью послышалась возня, но это не Шопенгауэр пришел к нам в гости — в комнату ворвалась Лидочка, а за ней просочилась Мария.

Мария уселась в уголке с книжкой с выражением тихого упрямства на лице — ни за что не уйду, как ни просите, — как будто нельзя почитать в другом месте, не там, где Женя лежит, отвернувшись к стене. Лидочка покрутилась по комнате, порылась в шкафу, примерила мою куртку, полюбовалась на себя в зеркало и наконец бухнулась на кровать между мной и Людой.

— Ну что, девчонки, облом? — весело спросила Лидочка. — А все потому, что вы меня не спросили...

— Всякое счастье имеет отрицательный характер, а страдание по своей природе положительно...— меланхолически подхватила Мария.

— Что ты сказала? — угрожающе спросила я.

Мария закрылась книжкой.

— Это не я, это Шопенгауэр... Мухи рождаются для того, чтобы их съедали пауки, а люди — для того, чтобы их глодали скорби. А это сказал Вольтер.

Лидочка сбросила туфли, встала на мою кровать и громко, как учительница в классе, сказала:

— Жене нужно было ему дать.

Откуда такие выражения у пятнадцатилетней девочки? То есть это глупый вопрос — откуда, но откуда это у нашей девочки, у девочки из хорошей семьи?!

— Вы думаете, что самые умные, а на самом деле ничего не понимаете в жизни! А в жизни все очень просто, — вещала Лидочка, стоя на кровати.

— Принцип простоты сформулировал философ Оккам в четырнадцатом веке. Он сказал: не нужно множить сущность без необходимости, — подхватила Мария. — Это означает: не нужно прибегать к сложным объяснениям там, где годятся простые.

— Я и говорю, нужно было ему дать, — перебила Лидочка.

Лидочка спрыгнула с кровати и покровительственно погладила Женю по плечу:

— Ты ему не дала, вот он тебя и бросил. Эх ты, дурочка наивная... Ты хотела, чтобы у тебя это было по какой-то там любви, чтобы это были какие-то там особенные отношения... Кому нужны эти твои особенные отношения?! Кому захочется нарываться на отказ, если полно других?

— А вот и не так. Женя правильно поступила, — авторитетно заявила Мария. — Последние американские исследования показывают, что те пары, которые быстро начинают интимную жизнь, как правило, не вступают в брак.

— Нет, не правильно, нет, как дура! Так она никогда не выйдет замуж! — завизжала Лидочка. — Может быть только один вопрос: сразу дать и сказать — «мне ни с кем еще не было так хорошо», или немного подразнить, а потом дать. А ты, Мария, не лезь туда, в чем не понимаешь.

Лидочка и Мария мгновенно забыли, что пришли утешать Женю, и между ними завязался оживленный спор о том, что нужно, чтобы не только привлечь, но и удержать мужчину. Лидочка обозначила проблему проще — давать или не давать?

Женщина, отдавшаяся мужчине, моментально становится ему не интересной, и он ищет других, такова мужская природа, — это было мнение Марии и Шопенгауэра.

Женщина, не отдавшаяся мужчине, моментально становится ему не интересной, и он ищет других, такова мужская природа, — это было мнение Лидочки, она высказала его другими словами, но суть была такая.

Люда смотрела на Лидочку с изумлением, как будто младенец вдруг вылез из коляски и басом попросил закурить. Люда обычно приходит к нам в свой выходной день на неделе, когда Лидочка в школе, поэтому она все еще видит в ней плаксивую девочку в платке с больными ушами.

— Лидочка, если ты быстро начнешь интимную жизнь, то твой мальчик будет думать, что ты легкодоступна, — из педагогических соображений возразила Люда. — Тебе же самой будет больно, если ты увидишь, что его не интересовало в тебе ничего, кроме твоего тела...

— Ха, — ответила Лидочка, — мы еще посмотрим, кому будет больно...

Люда попробовала зайти с другой стороны.

— Ну а беременность? — страшным голосом сказала она. — Клинические осложнения, включая выкидыш, токсикоз, кровотечения...

— Можно аборт сделать, — пропищала Лидочка.

— Аборт, или вакуум-аспирация, наносит организму подростка огромный вред.

— Но есть же безвредные таблетки...

— Это ты говоришь мне, врачу? — возмутилась Люда. — Гормональные таблетки совсем не безобидны, они бьют по печени и по всей гормональной системе...

Женя вдруг села на постели, такая трогательная в своих разметавшихся золотых кудряшках, что у меня от жалости защемило сердце, и пробормотала как будто сама себе:

— Во мне есть какой-то изъян... Я глупая, плохая?.. Почему меня нельзя полюбить?

Все наперебой бросились перечислять, какая Женя — не глупая, не плохая, а наоборот, красивая, добрая... Женя не боится выглядеть слабой, униженной, не боится, что ее будут жалеть. У Жени совсем нет самолюбия, а у меня слишком много — больше всего на свете я боюсь, что меня будут жалеть.

Разговор от секса перешел к более тонким материям: что правильно — показать свою любовь или, наоборот, равнодушие?

— Лучше было показать, что он тебе дорог, — предположила Люда. — Мужчины очень примитивны, неуверенны в себе и падки на лесть, поэтому самое сильное средство — показать, что он тебе дорог.

Я была согласна с Людой: мужчины примитивны, неуверенны в себе и падки на лесть...

— Лучше было притворяться равнодушной. Мужчина подобен охотнику, и препятствия разжигают в нем страсть, — сказала Мария и застенчиво добавила: — Это не я сказала, это Ницше сказал...

Я была согласна с Марией и с Ницше: мужчины упрямы и будут добиваться любви.

— Лучше всего было бы вызвать ревность, — предложила Лидочка, — показать, что у нее много поклонников — пусть бы все они пришли и стояли у крыльца...

Я согласна с Лидочкой, но где нам взять много поклонников, у нас в наличии только один сосед, и можно было бы попросить парочку моих однокурсников.

— Ей нужно было забеременеть, — дала профессиональный совет Люда, наверное, таким строгим голосом она говорит с недисциплинированными роженицами. — Не хочет беременеть, тогда нужно его приколдовать. Пусть сходит к бабке на приворот.

— Женя, ты слышала? Sapienti sat — умному достаточно, — многозначительно подытожила Мария.

Все ушли, довольные своими советами, а Женя этой ночью опять плакала. Тихо-тихо всхлипывала, старалась не разбудить меня, но я слышала — плакала.

Мама оказалась права. Странно, но мама со своими дикими, нелепыми предположениями всегда оказывается права. В Доме действительно была тайна. Правда, тайна оказалась не ужасная, не страшная, а смешная, вернее, медицинская.

За ужином мама объявила отцу:

— У меня для тебя замечательная новость! Нам необыкновенно повезло — он заболел ветрянкой. Не сможет выйти из Дома, потому что весь обмазан зеленкой. Инкубационный период — двадцать один день. Ты только представь, какая удача! Поздравляю тебя, а ты поздравь меня.

— Поздравляю, — охотно отозвался отец. — Судя по твоему тону, вам бы повезло еще больше, если бы это была не ветрянка, а бубонная чума. Но при чем здесь вы?

— Не вы, а мы, это касается всех нас. Вадик заболел. Высокая температура, слабость, болит голова, сыпь на лице и на теле...

— Теперь я понял: температура, сыпь... Поздравляю тебя, — кивнул отец. — Но кто такой Вадик?

— Ну как же, Вадик из Дома, Женин жених... ну, почти что жених. Он пропал куда-то, а теперь оказалось, что не хотел показываться Жене в зеленке, —

значит, это любовь, а не просто увлечение, — сбивчиво объяснила мама.

— Подумаешь, зеленка! Дело не в зеленке. Просто он Женю бросил, потому что она... она сама знает, почему он ее бросил, хи-хи-хи, — давясь смехом, сказала Лидочка, и у Жени мгновенно брызнули слезы.

Отец помрачнел, сердито взглянул на маму, но тут же опустил глаза.

— Я же просил его пить только кипяченую воду и не купаться в пресных водоемах, — печально сказал отец. — В Африке нельзя быть таким неосторожным! Что, вы говорите, у вашего Вадика — сыпь, температура? Это дранкулез, африканская болезнь собак, обезьян, людей и шакалов. Болезнь переносят рачки-циклопы, ваш Вадик проглотил их с пресной водой и даже не заметил...

Изредка случается, что отец на мгновение выходит из своего безразличия, как улитка высовывается из раковины, и тут же опять прячется и делает вид, что он ничего не видит, ничего не знает и ни во что не вмешивается. И уж совсем редко отец завуалированно высказывается — как сейчас. То, что он вернулся к своей шутке про Африку, означало, что он зол, раздражен и даже находится в бешенстве. Очевидно, он кое-что понял из маминых и Лидочкиных объяснений: что Женю обидели и что вся эта история — маминых рук дело.

— Возможно, это не дранкулез, а желтая лихорадка. Его мог укусить тропический комар, вирус проник под кожу и осел в лимфатических узлах, — сказал отец и, наклонившись к Жене через стол, погладил ее по руке: — Не огорчайся, Женечка, человек, не умеющий оберегать себя от опасностей, не стоит твоих слез... К тому же заболевшего желтой лихорадкой в половине случаев спасти уже невозможно. Не думай о нем больше. Все симптомы налицо — слабость, головокружение, зудящие волдыри...

Когда отец сердится, он говорит тихим академическим голосом, и сейчас он еле шептал, но мама была так возбуждена и довольна, что ничего не заметила.

Мама считала, что Женя должна немедленно отправиться в Дом и предложить свои услуги в качестве медсестры или сиделки.

— Какая удача, что у тебя медицинское образование! Это даже хорошо, что вы уже четыре дня в разлуке... влюбленным положено немного помучиться, чтобы потом стать безоглядно счастливыми! Ему наверняка необходимы уколы, и в любом случае его нужно мазать зеленкой! Вы так сблизитесь во время его болезни, что он уже не сможет без тебя обходиться! И тогда вы... ты и он... он и ты... Ты ведь уже болела ветрянкой?

— Я болела ветрянкой, но я ни за что не буду за ним ухаживать, — упрямо сказала Женя.

— Моя девочка, я сегодня всю ночь не буду спать, буду представлять, как он сделает тебе предложение, — не слушая, говорила мама. — Это будет чтонибудь очень оригинальное, не как у всех... Например, он скажет: «Будь моей женой», или «Выходи за меня замуж», или «Где ты хочешь устроить свадьбу?»... Скажи, что в «Астории». Кстати, Женя, почему у тебя такое лицо? Какое? Упрямое как баран, вот какое! Ты что, не хочешь в «Европейской»? Я тебя уверяю, что в «Европейской» лучше, чем в «Астории»...

— Мама, если бы я была ему нужна, он бы позвонил или попросил Алину. Значит, он не хочет меня видеть.

Мама привстала и стукнула вилкой по столу:

— Женя! Бедный мальчик страдает совершенно один! Где твое человеколюбие? Ты давала клятву Гиппократа?

— Дранкулез и желтая лихорадка — инфекционные заболевания. Если Женя заболеет и умрет, ты будешь радоваться, что она проявила человеколюбие? — серьезно сказал отец.

— Это ветрянка, — с нажимом сказала мама.

— Это дранкулез и желтая лихорадка, — с нажимом сказал отец, и на этом обсуждение закончилось.

Мама говорит «ветрянка», отец говорит «дранкулез и желтая лихорадка», и при этом оба имеют в виду совсем другое. Мама — что Женю нужно выдать замуж, а отец — что Женю, да и всех остальных, нужно оставить в покое. Бедный отец, бедная мама. Не знаю, кто из них больше бедный. Интересно, а я смогла бы жить с человеком, которому я всегда говорю одно, он отвечает мне другое, а имеет в виду совсем не это, а еще что-то третье?

— Лиза, загляни ко мне как-нибудь на днях, если у тебя найдется свободная минута. Я хочу поговорить с тобой о провинциях Византии в конце четвертого — начале пятого века. Ты помнишь, что в этот период империя была разделена на пятьдесят восемь провинций, которые объединялись в семь диоцезов? — тихо сказал мне отец после ужина.

— Конечно, помню. Два диоцеза — Дакия и Македония находились в префектуре Иллирик; другие пять — Фракия, Понт, Азия, Восток, Египет — в префектуре Восток...

Отец никогда не говорит с нами на некоторые темы: об одежде, о наших сердечных неприятностях, о замужестве, о недомоганиях. Поэтому можно сказать, что он вообще с нами ни о чем не разговаривает — ни с кем, кроме меня. Но с другой стороны, если бы он не придерживался такого правила, он бы только и обсуждал наших мальчиков, слезы, бигуди и помады.

Поздно вечером я пришла к отцу в кабинетик. Мне хотелось поговорить с ним о Жене — почему Женя так неуверена в себе и можно ли ей как-нибудь помочь. Мне хотелось поговорить с ним о Жене, ему хотелось поговорить со мной о провинциях Византии, поэтому мы пошли на компромисс и разговаривали об императоре Юстиниане. Юстиниан был бедным иллирийским крестьянином, солдатом, человеком чрезвычайно честолюбивым, умным и образованным, он достиг власти благодаря редкому сочетанию честолюбия и аскетизма, великодушия и коварства. А его жена, императрица Феодора, была бывшей куртизанкой. Она была умная, мстительная и прекрасная, верная опора своему мужу в его честолюбивых начинаниях. Мы с отцом часто разговариваем о Юстиниане и Феодоре с любовью и восхищением... Может быть, у нас все совсем не так мрачно, может быть, в других семьях люди еще меньше понимают друг друга — откуда мне знать.

Может создаться впечатление, что меня в то время занимала только жизнь нашей семьи. Нет-нет, не думайте, что у меня не было своей собственной жизни, — ничего подобного. Я дописывала диплом, ездила в университет к своему научному руководителю и встречалась с тем, кого упоминать нельзя, — упоминать его нет смысла, это проходящий персонаж. Это было то, что мама называет «бесперспективные отношения», — мама называет так любой роман, который не заканчивается браком. Я с ней согласна, это были именно бесперспективные отношения — без перспективы любви. Мы оба не были влюблены, просто приятно проводили время вместе, потому что у каждого человека должен быть другой человек для того, чтобы не чувствовать себя окончательно одиноким и не у дел.

И все это время я просыпалась со странным ощущением обиды и раздражения, как будто у меня в пальце была заноза, и я сразу же прислушивалась к себе и убеждалась — вот она, заноза, все еще на месте и болит. Я не чувствовала ничего, что сопутствует влюбленности — ни радостного возбуждения, ни даже желания увидеть Сергея, только злость — почему в моих мыслях, как заноза, торчит человек, которому я не симпатизирую и которого не уважаю?!

Да, конечно, все это было — и диплом, и бесперспективные отношения, но гораздо больше меня волновало то, что происходило у нас дома.

Иногда месяцами не случается ничего интересного, а иногда события начинают валиться градом.

— Собственно, я вышел сообщить, что у нас сегодня вечером будет гость, — сказал отец вечером, выходя к нам с телеграммой в руке.

Телеграмма была следующего содержания: «Приезжаю субботу Москвы поездом № 167 20.30 буду вас уверен Игорь».

— Но 20.30 будет через час, неужели можно дать телеграмму прямо из поезда? — удивилась мама. — И кто такой Игорь, аспирант, коллега?.. Ах, это И-игорь... вот оно что... Ах, значит, он уверен...

Телеграмма была дана не из поезда, а пролежала у отца на столе неделю, а Игорь...

В мексиканских сериалах несколько серий строили бы догадки — кто приезжает, зачем приезжает, в чем он уверен, затем недоумение сменилось бы суетой по поводу приезда неожиданного гостя, — при этом хозяева все еще не догадывались бы, кто же это приезжает. И оказалось бы, что приехал потерянный младенец или пролежавший сто лет в коме настоящий владелец имения, и это непременно внесло бы переполох в наследственные дела… Но в обычной семье, как наша, довольно скоро понимают, кто может приехать без приглашения и в чем он уверен.

— Столько лет ни слуху ни духу, и вдруг — здрасьте, поезд номер… какой там номер? Зачем мы ему понадобились? — В мамином голосе была старая, не проветренная временем обида.

— Вероятно, он едет к нам на поезде номер сто шестьдесят семь с оливковой ветвью, — пожал плечами отец.

— Мы должны сразу же сделать так, чтобы он понял, что мы его семья, — взволнованно сказала Женя.

Женя оказалась с нами случайно — она уже вторую неделю жила в Доме. Тихая ссора между мамой и отцом, спор о том, ветрянка ли это или африканская болезнь, были напрасны, — все решилось в тот же вечер само собой. Прибежала испуганная Алина с криком: «Где тут скорая помощь?» У Вадика была температура тридцать девять, озноб, зуд по всему телу… «Гиппократ обязательно пошел бы в Дом и помазал пузырьки зеленкой», — намекнула мама. Но когда требуется кого-нибудь помазать, Жене не нужны намеки и примеры. Женя ринулась спасать Вадика и осталась — мама была уверена, что навсегда.

Вадику вскоре стало лучше, но следом за ним заболела Алина, и тоже тяжело, с высокой температурой. Женя взяла на работе отпуск за свой счет и строго по часам давала обоим лекарства, поила маминым клюквенным морсом и мазала зеленкой.

— У него кроме нас никого нет, — со слезами в голосе проговорила Женя. Женя — плакса-вакса, может заплакать от любого пустяка.

— После стольких лет молчания... может быть, не стоит... — пробурчал отец, сделав свой обычный беспомощный жест рукой, словно отталкивая от себя Игоря с его оливковой ветвью. Было заметно, что он нервничает.

Это была давняя история, древняя, как история разлада самых первых братьев — Каина и Авеля. Мой дед был женат дважды, и от обоих браков имел сыновей — моего отца и отца Игоря. Неизвестно, были ли братья (не библейские, а мой отец и отец Игоря) равнодушны друг к другу, ревновали ли они, испытывали ли обиду за своих матерей, — то есть я этого не знаю. Но между ними была какая-то концептуальная ссора, как в романе — из-за собственности, и после смерти моего деда отношения между ними полностью прекратились. Я знаю только одно: мой отец — идеальный, благородный человек и не мог быть ни в чем виноват! Если уж кто-то и был виноват, то мама. Да, наверняка была виновата мама — она ревнива, обидчива и отнюдь не чужда материальных интересов. Я уверена, что это она поссорила братьев.

На моей памяти никакой связи с той семьей не было. Сводный брат отца жил где-то в провинции, и

112

не отцу же было писать письма, поздравлять с праздниками — отношения в семье поддерживают женщины. Не так давно брат отца и его жена умерли, и тогда отец захотел найти племянника, но что-то ему помешало.

И вот теперь к нам приезжает Игорь. Из телеграммы понятно: он уверен, что ссора будет забыта и мы его примем.

— Как это хорошо для всех нас, что он нашелся и хочет помириться, — сказала Женя, — ведь он наш единственный родственник, я его уже люблю...

Женя всех любит, даже человека, которого никогда не видела. Ах, нет... Мы видели Игоря в детстве! Но я ничего о нем не помню, кроме того, что это был мальчик. И уши — у него как-то смешно торчали уши.

В 20.29 все, кроме отца, выстроились за калиткой, а в 20.30 на такси подъехал Игорь, симпатичный, аккуратный, словно свежевымытый, улыбчивый человек двадцати семи—двадцати восьми лет без особых примет и внешних недостатков. Игорь выглядел необыкновенно приветливым, и даже сильно оттопыренные уши были приветливыми. В одной руке у него был портфель, в другой — букет гвоздик.

— Всем привет, здравствуйте, добрый вечер, рад познакомиться, — сказал Игорь. — Я собираюсь сразу же установить с .вами хороший контакт. Мои навыки межличностного общения и активного диалога помогут нам решить вопросы в непринужденной атмосфере на позитивном фоне.

Никто из нас не понял, что он имеет в виду, но все облегченно вздохнули — очевидно, что наш новый родственник обладает не только располагающей внешностью, но и легким характером.

Все бестолково суетились, каждый старался по-своему выказать родственную радость, пудель с красным бантом на груди и такса с голубым скакали как бешеные, Женя решительно обняла Игоря, остальные вели себя более сдержанно — Мария стеснялась и молчала, мама сказала: «Добро пожаловать в этот, теперь родной для тебя, дом». Мама была в имидже жены ученого: скромный, но достойный костюм, скромные, но достойные манеры.

— Впечатление, которое мы производим на партнера, на девяносто процентов зависит от нашего невербального поведения — мимика, пантомимика... — произнес Игорь. — Нет, даже не на девяносто процентов, а на девяносто пять — девяносто шесть.

Мы опять не поняли, что он имеет в виду, — кроме Лидочки. Лидочка тайком повертела пальцем у виска, шепнула: «Ну его, он зануда». Женя посмотрела на нее укоряющим взглядом «это наш родственник, мы должны стать ему семьей», но Лидочка скорчила гримаску и была такова — унеслась к подружке. Гость был ей неинтересен.

Наша Лидочка — очень способная девочка, она умеет мгновенно делить все на свете на нужное для себя и ненужное.

— Папа тоже живет в загородном доме, — сказал Игорь. — Я мог бы вам соврать, что я у папы свой человек, но скажу вам честно: я видел его всего один раз.

— Но отец Игоря умер, мы точно знаем, — прошептала мама.

— Почему Игорь всего один раз был у своего папы? — прошептала Женя. — Если его папа развелся с его мамой и перестал общаться с сыном, то это просто ужасно, ведь ребенок страдал...

— Может быть, Игорь — сын другого папы, может быть, он самозванец, а не наш родственник? — прошептала я.

— Я был у папы на приеме. Это был большой прием, на который мать пригласила всех дочек, поэтому я тоже был.

— Твоя мама состоит в другом браке? У тебя есть сводные сестры? Сколько им лет и как их зовут? — оживилась мама. — Но разве это справедливо, что тебя приглашают на прием, только если приглашены твои сестры?

Мама очень любит анализировать сложные семейные отношения, но никаких сложных отношений в семье Игоря не было. Оказалось, что Игорь говорит на бизнес-сленге. Все разъяснилось: папа — это владелец компании, мать — холдинговая компания, дочки — дочерние компании, в одной из них работает Игорь.

В 20.39 мы уже показывали нашему гостю дом, мама, Женя, Мария и я не знали, как нам сразу же установить личностные контакты в непринужденной атмосфере, а за этим занятием можно было скрыть смущение и отсутствие у нас навыков активного диалога.

Мы водили Игоря по дому, а он все внимательно рассматривал и хвалил.

— Вы даже представить себе не можете, какие сейчас бывают интерьеры! У моего шефа зала шестьдесят четыре метра, гардеробная тридцать метров... Но вы не расстраивайтесь, в таких маленьких комнатках, как у вас, хоть и не гламурно, зато уютно...

У нас уютно. Немного слишком жеманно из-за множества кружевных салфеток, безделушек и маминых игрушечных зверей, но уютно — кружевные салфетки бабушкины, безделушки с детства знакомые, звери плюшевые. На кухне лампа под абажуром.

Игорь держался приветливо, задавал вопросы — как работает отопление, не отказывает ли зимой котел, бывают ли перебои с электричеством, сколько метров комнаты, и в конце концов стало казаться, что мы показываем дом агенту по недвижимости.

Игорю понравилась гостиная со старинным резным буфетом, покрытым кружевными салфетками и заставленным безделушками, и новым огромным диваном, которым мама заменила старенький диван «Юность» — это была еще юность моих родителей. Новый диван зеленого бархата в цветочек был не просто диван, а символ перехода нашей семьи к новой, гламурной жизни — мама собиралась вместо старомодной гостиной устроить диванную, где не будет ничего, кроме диванов, и ждала следующего гранта, чтобы поменять старый резной буфет на еще одно бархатное великолепие в цветах.

Игорь осмотрел все: и мамину плюшево-звериную комнату, и комнату девочек, и нашу с Женей.

Комната Лидочки и Марии была смешная: на полу учебниками проложена граница между Лидочкиной половиной и половиной Марии. Лидочкина половина была выкрашена в розовый цвет, а половина Марии — в темно-зеленый. По стенам выстроились открытые полки, на стороне Марии до верху заполненные книгами и учебниками, на Лидочкиной стороне в беспорядке громоздилась косметика, пустые баночки, пузырьки — Лидочка ничего не выбрасывает.

Наша с Женей комната — ничего особенного, но вдвоем в двенадцатиметровой комнатке тесно, кофточек, джинсов и колготок больше, чем помещается в шкаф.

И наконец, самая лучшая веранда в мире, со старой мебелью, рассохшимся шкафом, полным всякой детской ерунды — рисунками, тетрадками, засушенными цветами.

Когда осмотр закончился, вниз спустился отец. Отец церемонно поклонился Игорю, Игорь качнулся ему навстречу, и тогда отец неловко обнял его и похлопал по плечу.

Отец — сдержанный замкнутый человек и не показывает своих чувств. Мама обвиняет его в том, что у него их нет, но это совершенно не так — например, сейчас отец был взволнован и растроган.

В гостиной был накрыт праздничный ужин второй степени. Праздничный ужин первой степени мама устраивает для важных гостей, обычно это какая-нибудь модная еда, которую мама готовит по кулинарной книге. Для коллег отца, испанских ученых, она приготовила паэлью с морепродуктами, считая, что гости обрадуются привычной еде. По-моему, испанские ученые гораздо больше обрадовались бы борщу и котлетам.

Ужин второй степени — это обычная вкусная еда, немного принаряженная в честь гостей: пирог с капустой, холодец, котлеты на горячее и торт «Наполеон». Каждый мамин «Наполеон» — это событие. Мама каждый раз что-то меняет в рецепте и придирчиво выспрашивает, как «Наполеон» удался на этот раз, чем он отличается от всех прошлых «Наполеонов», и обижается, если мы не помним «Наполеон», который она испекла три года назад на майские праздники. «Как это не помнишь?!» — говорит мама.

Игорь свалился к нам из поезда № 167 как снег на голову, поэтому мама смогла лишь второпях украсить наш ужин — сосиски с пюре и салат оливье. Сосиски, наряженные в юбочки из розовой гофрированной бумаги, лежали на блюде в центре стола, а на самом верху горки салата оливье, символизируя семейное примирение, сидел довольно крупный фарфоровый голубь. Стол был уставлен оставшимися с Нового года свечами, на стуле Игоря мама завязала большой красный бант, словом, все выглядело празднично и к тому же приятно напоминало Новый год, — свечи были в виде Деда Мороза и Снегурочки.

— Я практически не употребляю, — сказал Игорь, кивнув на бутылки в центре стола. — Конечно, для создания непринужденной обстановки необходимо некоторое количество спиртного, без этого не обходится ни одно мероприятие. Но я лично считаю, на корпоративных мероприятиях алкогольных излишеств не должно быть в принципе, поскольку это свидетельствует о низкой корпоративной культуре в компании... Но сейчас я могу себе позволить... в семейном кругу...

Игорь положил себе сосиску в юбочке.

— Первый тост на мероприятии говорит Генерал... Генерал — это генеральный директор компании, в данном случае Генерал, фигурально выражаясь, это хозяин дома, — пояснил Игорь, галантно поклонившись в сторону отца, и поднял бокал с вином. — Но сегодня особый случай. Позвольте сначала мне провозгласить... Я, руководитель отдела продаж, хочу в своем лице и от себя лично поблагодарить вас за теплый оказанный прием. Не смущайтесь, что у вас сосиски с пюре, не думайте, что я привык совсем к другому.

Игорь подробно описал, какой был шведский стол на последней корпоративной вечеринке.

— Закуски холодные, закуски горячие, жюльен и креветки сколько хочешь! Хоть лопни. Но тут следует быть осторожным. На корпоративном мероприятии следует помнить о том, что вы оказываетесь под прицелом взглядов сотрудников, руководителей и гостей фирмы.

У него была странная речь, как будто ему было естественно говорить короткими рублеными фразами, но он приучил себя пользоваться витиеватыми выражениями.

— Я пять раз подходил за креветками. Но вы не беспокойтесь, я знал, что на этой вечеринке количество подходов не ограничено.

Отец кивнул:

— Вы... ты обычно заранее изучаешь правила, чтобы не попасть впросак?

— Предпочитаю знать заранее. Поскольку бывает, что количество подходов не ограничено, а бывает, что всего один подход. Вы же понимаете, в выстраивании карьеры нет мелочей. При этом особенно важны навыки межличностного общения, активного диалога — вы сами видите, как я умею общаться.

— Эти навыки свойственны тебе от природы или ты их совершенствовал? — поинтересовался отец.

— Совершенствовал на корпоративных тренингах, — охотно признался Игорь и, спохватившись, добавил: — Но что это я все о себе да о себе... Давайте вы мне тоже что-нибудь расскажите. Вы, может быть, удивляетесь, что я в моем возрасте уже занимаю такую позицию? Я — национальный менеджер по работе с ключевыми клиентами. — Игорь значительно поднял палец и уточнил: — На-ци-о-наль-ный. С клю-че-вы-ми.

Ужин был очень приятным, мы не испытывали никакой неловкости в общении с нашим новым родственником, не нужно было искать тему для разговора — Игорь говорил сам.

Игорь работал в компании по продаже водки «Золотой стандарт» в своем родном городе. Его карьера складывалась удачно — он был... если не ошибаюсь, Игорь сказал «менеджер по развитию региона», и через положенное время должен был пройти аттестацию и получить повышение. К ним в город приехал начальник из Москвы, который отвечает за всю Россию. И тут случилась удивительная история, как история Золушки, — этот начальник вдруг выдвинул Игоря на повышение, и Игорь поехал на бал, то есть работать в Москву.

— Мое мировоззрение по вопросу продаж совпало с его, — сказал Игорь. — И вот я в Москве. Москва сама по себе уже повышение, а меня еще и в должности повысили... Я — национальный менеджер по работе с ключевыми клиентами. Зарплата. Социальный пакет: медицинская страховка, машина. Да, и оплата мобильного телефона. Мой босс мне помогает, он меня бизнес-ориентирует просто как родного сына... Так что еще раз в лице себя и моего босса, генерального директора компании «Золотой стандарт», спасибо за теплый прием.

Отец внимательно слушал Игоря, опустив глаза — читал газету «Санкт-Петербургские ведомости», держа ее на коленях. Прочел, сложил под столом, украдкой взял с полки первую попавшуюся книгу и прикрыл глаза с видом глубокой сосредоточенности.

Женя взглянула на часы, испуганно ойкнула — пора давать лекарство — и убежала.

— Ты куда-то уходишь? Приятно было видеть тебя, дорогая, — рассеянно сказал ей вслед отец.

Не то чтобы мы скрывали от него то, что Женя живет в Доме, но... немного скрывали. Но он и сам не заметил ее отсутствия за семейным столом в течение двух недель.

Мама наклонилась к Игорю через стол.

— Скажу тебе откровенно, как своему человеку: наша Женя — невеста, ее будущий муж болеет ветрянкой. И ее брак приведет к очень значительным жизненным переменам не только лично для нее, но и для всех присутствующих, — сказала мама, многозначительно переводя глаза с Игоря на сосиски в юбочках и салат оливье с покосившимся голубем.

Игорь одобрительно кивнул:

— Правильный брак — это необходимая часть карьеры...

— Молодец, здраво рассуждаешь, — похвалила мама. — Я уверена, что в бизнесе Жениного мужа всегда найдется место для такого разумного молодого человека, тем более родственника.

— Карьера — это дело такое, в ней нет мелочей, — рассуждал Игорь. — Вот возьмите одежду.

Ну, на работе ясно, это бизнес-лук — костюм, галстук. А на корпоративной вечеринке? Требования к внешнему облику на корпоративной вечеринке, как говорится, дресс-код, в первую очередь зависят от философии фирмы. Плюс одежда должна соответствовать тематике и месту проведения. Умение сочетать элегантность с простотой ценится больше всего. Дело упрощается, если форма одежды указывается в приглашении. Выполнение этого требования является обязательным.

В этот момент раздался звук — очевидно, отец на мгновение заснул, и книга упала из разжавшихся пальцев на пол. Отец виновато встрепенулся:

— Ну... э-э... Ты, кажется, рассказывал о корпоративных вечеринках?.. Очень... э-э... познавательно... ну... э-э... может быть, еще что-нибудь расскажешь?

Игорь с готовностью кивнул:

— Корпоративные вечеринки сплачивают коллектив, добавляют сотрудникам гордости за компанию и уверенности в ее стабильности. Корпоративные праздники служат поднятию коллективного духа компании, снятию стресса у сотрудников... Дальше рассказывать?..

Отец печально глядел в одну точку, его лицо выражало жалость, разочарование, обиду, все что угодно, кроме родственных чувств.

— Корпоративные мероприятия способствуют разрядке напряжения в межличностных отношениях, накопившегося в ходе работы, улучшению настроения сотрудников, развитию их творческого потенциала... — бубнил Игорь, а отец вдруг начал панически озираться, как будто его держат взаперти и он не может найти выход. Этот испуганный взгляд появляется у него, когда он хочет к себе наверх — немедленно, сию же минуту.

— Тебе нужно ответить на письма, — сказала я тихо, как будто напоминая. — Тебе нужно срочно ответить на письма...

— Да-да, именно... э-э... ответить на письма. — Отец поднялся из-за стола. — Спасибо, что напомнила. Ну... э-э... я вынужден вас покинуть, срочные дела призывают меня наверх.

Отец очень строго делит людей на достойных его внимания и всех остальных — по интеллекту. Наш новый родственник оказался глуповатым, и отец мгновенно потерял к нему интерес. У отца и Лидочки есть одна общая черта: непреодолимое желание убежать, мгновенная потеря интереса, если им — не нужно.

Мы с мамой и Марией еще долго слушали нашего нового родственника, стараясь проявить внимание к Игорю за себя и за отца.

Отец, конечно, вправе выбирать, на кого тратить время, оторванное у Византийской империи, а на кого нет, но нам, обычным людям, стоит ли так строго оценивать людей по интеллекту? Наш новый родственник хоть и недалекий, но безобидный, порядочный, рассудительный, без всякой поддержки делает эту свою карьеру, — разве это не повод, чтобы простить ему некоторую глупость?.. Игорь, одинокий, мягкосердечный, приехал к нам, чтобы восстановить родственные связи, — разве это не заслуживает похвалы?

На следующий день во время завтрака выяснилось, что хотя у нас обычная семья, но все-таки немного мексиканский сериал.

Лидочка была в школе, Мария в институте, а я осталась дома писать диплом и вместе с мамой развлекать нашего родственника.

— Мне бы хотелось расставить точки. Обсудить в активном диалоге при помощи техник межличностного общения. Вы, я думаю, понимаете цель моего приезда, — покраснев, сказал Игорь.

— Восстановить семейные связи, — удивленно ответила мама. — Но мне кажется, мы уже вчера все восстановили...

...Утром уши у Игоря торчали еще больше, но в целом он был такой же свежевымытый и приветливый, как вчера, и никто не ожидал от него такого подвоха... Скажу сразу же, не стану растягивать на несколько серий: оказалось, что наш дом принадлежит не нам, а потерянному младенцу. И участок, двенадцать соток, за счет которых мама рассчитывала приобрести недвижимость в разных странах мира, тоже принадлежит не нам, а Игорю. У симпатичного, аккуратного, приветливого Игоря оказались при себе бумаги, из которых следовало, что земля и дом принадлежали его отцу, а Игорю нужно было лишь юридически вступить в права наследства.

Из разговора Игоря с мамой я понемногу стала понимать, что же произошло — не сейчас, а давным-давно.

Давным-давно мы жили на Петроградской, в коммунальной квартире. У нас были две комнаты, огромные, как залы, одна с камином, другая с красивым эркером. Но все-таки это была коммуналка, а у нас были Женя, я, Мария, и только что родилась Лидочка. Поэтому родители с радостью переехали в Лисий Нос, в дом, принадлежавший нашему деду, — эту часть истории мы знали.

После смерти деда мы продолжали жить в Лисьем Носу, но дом и участок были завещаны сыну деда от второго брака, — а вот этого мы как раз и не знали...

Братья поссорились: отец Игоря пожелал продать свое наследство, а наш отец не хотел вернуться со всеми нами в две комнаты с камином и эркером. Отец Игоря уступил нашему отцу, и мы остались в нашем доме, то есть уже не в нашем, а чужом доме.

— Мой отец поступил благородно, — заметил Игорь.

— Ничего подобного, твой отец поступил не благородно, а по совести, — благодушно возразила мама. — Он получил квартиру и новую машину «Жигули»! Да в то время этот старый дом стоил меньше, чем «Жигули». Разве это было справедливо?

Сначала мама охотно обсуждала все это с Игорем, считая, что они ностальгически вспоминают прошлое, затем смотрела на него жалеющим взглядом, как на сумасшедшего, которого почему-то волнуют дела давно минувшие, затем снисходительно-скучающим взглядом, как будто Игорь пришел рекламировать ненужный ей пылесос. Ну, а когда Игорь сбегал за портфелем и показал ей документы, у мамы случилась истерика.

Мама то плакала, то затихала, недоуменно поглядывая на меня, и вдруг бросилась к Игорю с таким угрожающим видом, что он выскочил за дверь, прижимая к себе портфель с документами.

— Девочки, уймите вашу мать, — сказал он из-за двери, как будто я была здесь не одна, а с сестрами, — наверное, от ужаса.

— Я провела жизнь в розовых очках. Я думала, что если мы здесь живем, то это наше... — всхлипывала мама. — И вот до чего я дожила — нас выгоняют из родного гнезда...

Мама намочила полотенце холодной водой, демонстративно приложила полотенце ко лбу и вышла из кухни.

...Мама лежала в темной комнате с полотенцем на голове, а мы с тетей Ирой сидели рядом. Тетя Ира как будто чувствует, когда мама ложится с полотенцем в темной комнате, и сразу же забегает в гости на минутку.

Тетя Ира сказала, что все совсем не так примитивно и здесь была психологическая причина. Сыновья были от разных браков, мой отец всегда чувствовал себя ущемленным, и его брат решил не продавать дом, чтобы компенсировать ему недостаток отцовской любви.

— Да-а... — вздохнула тетя Ира, — вот она, жизнь. Чувствуешь себя сильной, и вдруг оказывается, что ты ничтожный червячок и вся твоя жизнь зависит от какого-то стечения обстоятельств, от давней истории любви и ревности...

— Кто это ничтожный червячок, я? — рассердилась мама. — Ты меня имеешь в виду?!

— Я просто хотела тебя отвлечь...

— Отвлечь? Мы остались без крова, без крыши над головой, как погорельцы, а ты хочешь меня отвлечь какими-то ничтожными червяками, — горестно сказала мама. — Моя дорогая Лидочка и Мария тоже, мои бедные дети еще не знают, что остались на улице! Слава богу, что Женя выходит замуж, — хотя бы у одной из нас найдется где приклонить голову... Лиза, где твой отец?! Как он мог так с нами поступить?.. Этот человек, твой отец, сведет меня в могилу, впрочем, теперь мне больше некуда идти...

Вернулись из города девочки и приняли участие в обсуждении, слезах и догадках.

— Мы переезжаем в город? Ура! Как здорово, что мы будем жить в городе! — обрадовалась Лидочка.

— Чему ты радуешься, бедное наивное дитя? У нас всего две комнаты на шестерых, — напомнила мама.

— Ну и что? В одной комнате я с Марией, так уж и быть, а в другой все остальные, мама с отцом и

Лиза с Женей, — легко сказала Лидочка и подмигнула. В этом подмигивании был как будто смешок, что она так хорошо пошутила, и одновременно уверенность, что именно так и будет. Лидочка — еще совсем ребенок.

— Ницше сказал: каждый человек стремится к уединению и к своему домашнему углу, где он избавлен от толпы, от многолюдия и может уделить всего себя познанию... Так что же, теперь я буду жить с Лидочкой, Женей и Лизой? — тревожно отозвалась Мария. Мария — уже не ребенок...

Кажется, будто я оставалась совершенно спокойной и хладнокровно наблюдала за всеми со стороны. Но я и правда ничего не чувствовала — у меня был настоящий шок.

Я представила, что живу в одной комнате с Лидочкой и Марией — ох!.. Четыре кровати (еще Женя) по сторонам комнаты, кучи Лидочкиной одежды и косметики на полу...

Я увидела себя жалкой, несчастной, избегающей своего дома, увидела, как я использую любые предлоги, чтобы не быть дома, допоздна гуляю по улицам, сижу в кино на ночном сеансе, остаюсь ночевать у подруг, предпочитаю остаться у своего друга, даже если он не так уж сильно этого хочет. Все что угодно, чтобы не слушать глупую болтовню Лидочки и рассуждения Марии!

Я уже почти ненавидела противную эгоистку Лидочку и зануду Марию... Неужели родственная любовь так сильно зависит от количества комнат?..

А отец, что будет с ним? И с нашей семьей? Мама с отцом могут жить только так, как они живут сейчас — наверху и внизу! На Петроградской мы, Женя, я, Мария и Лидочка, очень быстро станем детьми из неполной семьи... Наше будущее совершенно очевидно: нашей семье предстоят тяжелые испытания, и сразу можно сказать — вряд ли мы в них выстоим.

К вечеру ситуация уже не выглядела такой трагичной.

Игорь был вызван в мамину комнату. Мы ждали, что из комнаты раздастся крик, но за дверью не было слышно ни шороха, как будто мама что-то нашептывала Игорю на ухо.

И вскоре они вдвоем вышли к нам, Игорь держал маму под руку и преданно на нее поглядывал, а у мамы был такой вид, как будто она вывела из своей комнаты дрессированного медведя, — гордый и утомленный.

— Игорь хочет кое-что нам сообщить, — торжественно объявила мама.

— Я просто хотел... — начал Игорь.

— Ты просто хотел... — настойчивым эхом повторила мама.

— Я просто хотел, чтобы вы знали. Живите. Сколько хотите. Но вы должны иметь в виду, что владелец я.

— Ты еще кое-что хотел: чтобы девочки знали, — пока отец... — суфлировала мама.

— Пока отец?.. — переспросил Игорь. — А-а, да. Пока ваш отец... когда ваш отец... до того, как ваш отец... после того, как ваш отец...

— Игорь хочет сказать, что пока ваш отец жив, он не будет продавать дом, — помогла мама.

— Не совсем так... Лучше сказать, пока все девочки не выйдут замуж, — уточнил Игорь. — Тогда вы вдвоем с дядей сможете вернуться в свои две комнаты, в одной комнате мой дядя будет работать, а в другой вы будете обедать и смотреть телевизор.

— Ну, там видно будет... — небрежно отозвалась мама.

Удивительно. Необъяснимо. Невероятно.

Перед сном я зашла к маме. Она сидела перед зеркалом в ночной рубашке, и лицо у нее было совсем голое — без косметики, без улыбки, без обиды, без всякого выражения.

— Мама, что ты ему сказала? — спросила я.

— Сказала? Ничего особенного. Сначала он меня учил, как убеждать клиентов. Существует четырнадцать правил, помогающих убеждать, и шесть точек воздействия на клиента... Представь, целых шесть! Еще он меня учил, как преодолевать возражения клиентов. Для различных типов личности разные приемы. Было очень интересно. Потом он применял ко мне разные приемы убеждения, преодоления и возражения.

— Мама! Что ты ему сказала?

— Ох, ну что, что... Сказала. Просто поговорила по душам, о том о сем, обо всякой ерунде, о предках, о чести, о совести, о том, что земля дорожает... Но он и сам обрадовался, что ему не нужно продавать дом, — не у каждого хватит духу выгнать из дома семью с четырьмя маленькими детьми.

Мама забралась под одеяло и тонким обиженным голосом сказала:

— Лиза, ты взрослый человек, я могу говорить с тобой как женщина с женщиной. Я живу в розовых очках, ни разу не взглянула на документы, тем более у нас никаких документов нет... Но я же не знала, что я должна об этом думать! У меня же есть муж, отец моих детей! Но ваш отец — он-то знал, что мы живем в чужом доме! Как твой отец мог поступить со всеми нами так легкомысленно?! За эти годы можно было прописать вас в Лисьем Носу, и тогда вы имели бы какие-то права на этот дом, в котором прошла вся моя жизнь... Что это — небрежность? Нет, это безразличие, безразличие к вам! Скажи мне, Лиза, что я должна об этом думать?

Но я не знала, что она должна об этом думать, что это — небрежность или безразличие к нам.

— А ты, ты куда смотрела? — строго сказала мама. — Тебе никогда не приходило в голову, почему в твоем паспорте стоит штамп о прописке на Петроградской и какие у тебя права на этот дом?! Это все твой эгоизм, ты во всем повторяешь своего отца — тебе осталось только засесть наверху, как он!

После мамы я поднялась к отцу — ведь он весь день совершенно один нервничает там, наверху. Представляет, как единственно возможный для него порядок жизни разрушится навсегда... Отцу было бы хуже всех — он не мог бы ночевать у подружек, ходить в ночные клубы, у него не было бы даже крайнего варианта — возможности выйти замуж по расчету.

— Все устроилось, все хорошо, — сообщила я, — так что не волнуйся.

— Как я могу не волноваться, если это противоречит, угрожает всему, всей моей жизни. Мои книги... — взволнованно сказал отец.

— Не волнуйся, мы сможем жить в нашем доме, сколько захотим, у тебя останется твой кабинет, твои книги, твой письменный стол...

— О чем ты, собственно, говоришь? Я и не думал волноваться из-за стола, — пробормотал отец. — Прости, Лиза, но сейчас я не в силах с тобой разговаривать, я слишком взволнован. В этой статье, которую я получил сегодня утром, высказывается взгляд, противоречащий всему, что я делал в течение жизни... Я уже написал ответ и заявку на следующую конференцию. А сейчас ты уходи, мне нужно кое-что посмотреть.

Я хотела спросить, как отцу удается не думать о плохом, но тут вдруг что-то со мной случилось.

В общем, в меня вдруг вселился бес, и я сказала противным голосом:

— Мы чуть не остались без крова, а ты просидел весь этот страшный день у себя наверху, не думая, что я могла оказаться в одной комнате с Лидочкой и Марией, — а ведь с человеком не может произойти ничего ужасней! Твоя жизненная стратегия нечестная — сидеть наверху, пока неприятности проходят сами собой.

Отец с упреком взглянул на меня:

— Лиза, я всегда ценил тебя за то, что ты не придавала значения пустякам. Если бы мы были на земле навсегда, то возможно, и стоило бы обратить внимание на то, что кому принадлежит и где документы. Но мы на земле лишь на время, поэтому ты должна приучить себя думать о более важных вещах. Сегодня я не буду ужинать. Нет, спасибо, и чая не нужно.

Мы с бесом тихо закрыли за собой дверь.

Когда бес выселился из меня, мне стало стыдно, я принесла чай и незаметно поставила отцу на стол.

...Наш новый родственник объявил, что пробудет у нас десять дней. Это был его отпуск, и он хотел посмотреть Эрмитаж, Петергоф, Павловск и другие достопримечательности.

Глава 5

Женя несколько раз передавала мне вежливое приглашение Алины: «Пусть твоя сестра заглянет к нам, если она болела ветрянкой», — и как-то вечером я зашла к ним в гости.

Наверное, их вечера были всегда одинаковы и похожи на тот вечер: зеленка, измерение температуры, беседа ни о чем.

Между Женей и Вадиком не чувствовалось никакого напряжения, как бывает между влюбленными, между ними не пробегали искры, они не старались дотронуться друг до друга. Не было никакого сомнения в том, что Вадик очень влюблен — весь измазанный зеленкой, он выглядел совершенно счастливым, — не было никакого сомнения, что Женя счастлива, но оба, нежная сиделка и послушный влюбленный больной, были не возбужденными от любви, а спокойными и расслабленными, как будто давно уже были одно целое.

Больная Алина потеряла всю свою самоуверенность и стала растерянной и милой. У нее поочередно болели голова, нога, живот, и каждую минуту с ней что-то происходило — «крутило», «подташнивало», «чесалось»...

— Я не могу больше болеть, эта ветрянка совершенно выбила меня из колеи, меня любая болезнь выбивает из колеи, особенно эти противные пузыри, — жалобно бормотала Алина. — Женечка, дорогая, хорошая, обещай, что ты никуда не уйдешь, не оставишь меня ни на секунду... и спать ляжешь в моей комнате! Я ни за что не буду спать одна с этими пузырями!..

Женя вела себя как ангел с медицинским образованием — обещала, что не оставит Алину ни на секунду, измеряла брату и сестре температуру, поила клюквенным морсом, мазала пузырьки зеленкой и дула, чтобы не было больно.

Все было так тепло и уютно, как будто все давно знакомы, — пока не пришел Сергей, уставший и злой, как муж из анекдота или плохого кино о семейной жизни, в котором сердитый муж приходит с работы и срывает плохое настроение на жене и детях.

Женя, как жена, убежала на кухню подавать ужин, Сергей принялся что-то сердито выговаривать Вадику, Вадик замолчал и мгновенно стал похож на виноватого ребенка, а Алина принялась оживленно болтать о своем — о своей температуре, о своих пузырьках, о своем больном горле. Она кокетливо попыталась дотронуться до Сергея, делая вид, что хочет заразить его ветрянкой, но Сергей небрежно отмахнулся от Алины, достал из бумажника банковскую карточку и отдал ей.

Сергей пользуется Алининой банковской карточкой! Неужели он живет на деньги не только брата, но и сестры?.. Какое падение, какой ужас, ни минуты не останусь с ним в одном доме!..

Сергей вышел со мной, чтобы закрыть калитку. Можно было закрыть калитку пультом с крыльца, но он зачем-то пошел со мной по дорожке.

— Возвращайтесь в дом, — холодно сказала я.

— Не стесняйтесь, вы вполне заслуживаете, чтобы я вас проводил. У вас... э-э... красивые глаза, — рассеянно отозвался Сергей.

— Вы понимаете, что говорите? — возмутилась я. — Я заслуживаю того, чтобы вы меня проводили до калитки, потому что у меня красивые глаза?! Знаете что? Вы можете проводить меня до самого дома — у меня еще хорошая шерсть и подшерсток!

136

Сама не знаю, как у меня это вырвалось.

— Какой подшерсток? — Сергей смотрел на меня с таким недоумением, что я уже не могла остановиться.

— У меня толстый подшерсток. Я же овца... — печальным голосом сказала я.

— Овца? Какая овца? — непонимающе спросил Сергей.

Я засмеялась:

— Вы назвали меня овцой, а девочки, мои сестры, услышали.

— Да, правда? Я не помню. Вы обиделись. Но я же не ожидал, что ваши сестры сидят в кустах. За глаза мы все говорим друг о друге что-то нелицеприятное. Мне нужно оправдываться, говорить, что вы красивая девушка? — насмешливо спросил Сергей.

— Не нужно. Я не имела в виду упрекнуть вас. Просто это было смешно. Я часто не могу удержать внутри смешную мысль и говорю вслух что-то, не совсем подходящее к случаю... Мама меня за это ругает. Она говорит, что это моя вторая натура — все видеть в смешном свете, — небрежно сказала я и вдруг неожиданно для себя добавила: — Я овца, а вы очень неприятный человек! Вы смотрите на людей, как будто оцениваете, сколько они стоят. Вы используете людей, и Вадика используете, и Алину!

— Что вы имеете в виду? — удивился Сергей.

— Вы живете в их доме, пользуетесь их деньгами, чтобы вести образ жизни, который вам не по средствам. Вадика вы опекаете, а с Алиной спите... Лучше

137

бы Вадик содержал кого-то, кто бы веселил его и развлекал, а вы не даете им взамен даже хорошего настроения, а только опекаете, сердитесь и учите! — Я вдруг спохватилась, что практически назвала Сергея приживалом и альфонсом, и растерянно сказала: — Простите. ...Но вы же сами спросили, а моя третья натура всегда говорит правду.

Сергей улыбнулся:

— Все люди используют друг друга. Кого-то используют для любви, кого-то для бизнеса... Спокойной ночи, моя дорогая... овечка!

— Не смейте так со мной обращаться, не смейте говорить мне «ты», сами вы овечка! — зашипела я и выскочила на дорогу, с размаха захлопнув калитку. И вдруг у меня опять как будто вытянулось лицо и выросла шерсть и я сказала «бе-е-е»...

Я не врунишка сама себе, как девочки на школьном вечере, которых никто не пригласил танцевать, а они так увлеченно беседуют друг с другом, словно пришли на танцы, чтобы наконец-то наговориться всласть. Я не врунишка сама себе, чтобы кокетливо спрашивать себя: «Почему я каждый день просыпаюсь с мыслью о нем? Ой, неужели я влюблена, а я и не заметила!»

Я была влюблена, Сергей всегда присутствовал в моих мыслях как тихая музыка, как декорация на сцене, на фоне которой происходит действие, но все мои натуры — и первая, и вторая, и третья — все они стыдили и корили меня за то, что я влюблена в приживала и альфонса!

Зачем я, как в песочнице, сказала ему «сам дурак», зачем наговорила столько обидных слов, зачем, зачем хлопнула в лицо калиткой?.. Не могу сказать, что после этого визита я чувствовала себя достойным, умным, взрослым человеком, скорее я чувствовала себя овцой, не взрослой овцой, а влюбленным и обидчивым овечьим подростком.

Нас ждала еще одна неожиданность. Только мы успели полностью забыть, что находимся у себя дома немного на птичьих правах, как Игорь объявил еще одну цель своего приезда — такое впечатление, будто наш новый родственник, такой, казалось бы, скучный и предсказуемый, привез, как Дед Мороз, целый мешок сюрпризов и достает их из мешка по очереди.

...Воскресным утром, когда я, лежа у себя в комнате, читала книгу «Матричный метод решения систем линейных уравнений», в дверь постучалась мама. Из-за ее спины выглядывал Игорь с красным лицом и больше, чем обыкновенно, торчащими ушами.

Мама усадила Игоря на Женину кровать и расположилась рядом с Игорем, — она специально выбрала место напротив меня, чтобы Игорь не видел ее лица и она могла бы без помех посылать мне какие-то таинственные знаки. Мама делала большие глаза, заговорщицки морщилась, поднимала брови, словно у нее нервный тик, а один раз даже оскалила зубы и показала мне кулак.

— Мама, что случилось, ты плохо себя чувствуешь? — наконец не выдержала я.

— Да-да, я плохо себя чувствую, очень плохо... —
согласилась мама. — Пойду приму лекарство. — Мама вышла из комнаты, напоследок скорчив мне
страшную гримасу, мгновенно перешедшую в улыбку при взгляде Игоря.

Игорь, помолчав немного, встал с кровати, подошел к окну и, отвернувшись от меня, как будто он
смотрит в сад, сказал:

— Ты, я думаю, понимаешь цель моего приезда?

— Эрмитаж, — предположила я, — Петергоф,
Павловск?

Но нет, не Эрмитаж и не фонтаны Петергофа, и
не Павловск, а... Игорь сделал мне предложение.
Игорь сказал: «Выходи за меня замуж».

Я и не догадывалась, какие это волшебные слова...
выходи за меня замуж, выходи за меня замуж, выходи за меня замуж... При звуке этих слов по телу раз-
ливается приятное тепло, а губы сами складываются,
чтобы сказать в ответ «мяу».

— Спасибо, — нежно ответила я, — мне еще никогда не делали предложения. Спасибо тебе...

— «Спасибо, да» или «спасибо, нет»? — робко
спросил Игорь, и я почувствовала неловкость, ведь если тебе задают вопрос, полагается ответить.

— Но ты же наш родственник, как я могу выйти
за тебя замуж?..

— Дальний родственник, — уточнил Игорь. — Наши отцы были сводные братья, мы с тобой даже не

двоюродные, а… вообще никто. Я когда к вам ехал, не то чтобы планировал, но мысль у меня была: мне для статуса лучше, чтобы я был женат, а вы — девушки неизбалованные, живете в пригороде… Я уже говорил с твоей мамой — она у вас очень душевная женщина. Мама не против.

Мама действительно была не против, даже очень не против, но об этом потом.

Я была совершенно ошеломлена, ведь Игорь ничем не показал, что я ему нравлюсь, между нами не было ни одного влюбленного взгляда, ни тайного свидания, ничего, кроме восстановления родственных связей. Скорее, я могла бы заподозрить, что ему нравится Мария — Мария единственная из нас увлеченно обсуждала с ним правила межличностного общения и техники продаж.

— Ты очень хороший, но мы едва знакомы… это серьезный шаг… твое будущее… нужно познакомиться поближе, проверить свои чувства… — Я бормотала какие-то глупости, думая, не лучше ли было бы просто сказать «нет».

Но я не могла сказать «нет». А если бы я сделала кому-нибудь предложение и мне бы сказали «нет»?.. Это было бы обидно, оскорбительно, понизило бы мою самооценку надолго, возможно, навсегда. Если бы я была мужчиной, отказ мог бы привести меня к импотенции, и как бы я тогда жила дальше?..

— Да что там проверять! Мне сначала больше понравилась Женя. Женя очень красивая, но твоя мама сказала, что она невеста, и тогда мне больше понравилась ты. Мария тоже хорошая умная девушка, но еще не взрослая, а ты... как раз в самый раз, — простодушно объяснил Игорь. — Значит, так, в начале переговоров — формирование целостного представления обо мне. У меня — зарплата, медицинская страховка, оплата автомобиля, оплата мобильного, квартиру двухкомнатную мне снимают, не в центре, но зато у метро. Перспективы по карьере — аттестация у нас через месяц, стопроцентно рассчитываю на позицию...

— Игорь, ты что, идиот? — по-родственному спросила я.

— Нет, а что, похож? — серьезно поинтересовался Игорь.

— Очень. Твое предложение — совершено дикий, идиотский поступок.

Но чужой поступок кажется совершенно диким, невообразимо идиотским до тех пор, пока не узнаешь все мотивы. Думаешь, что человек — многозначительный идиот, а у него в голове все логично и четко, как в логарифмической таблице...

Игорь сказал, что у него мужская проблема... Я хотела сказать ему, что сейчас все лечат, но оказалось, это была другая мужская проблема. У Игоря, такого симпатичного, без вредных привычек, не было девушки.

— Но ты же работаешь, проще всего было бы завести роман на работе.

— Офисные романы не одобряются. Корпоративная этика не позволяет начальнику встречаться с подчиненной.

Я вытаращила глаза:

— Неужели не позволяет? А если любовь?

— Это не приветствуется.

— Что, совсем нельзя?

— Ну, в принципе можно, но как-то не получается. Девушки в офисе делятся на две группы.

Игорь сказал, что девушки первой группы совсем молоденькие. Они могут удовлетворить определенные потребности мужского организма, но мужской организм имеет потребность в ласке и понимании, чтобы кто-то вечером спрашивал — как дела. А девочкам безразлично, как у него дела, с ними нужно ходить по клубам. Но у Игоря возраст! Да и привычки не те, от громкой музыки болит голова, утром на работу, и вообще, молодежная субкультура ему не близка. Вторая группа — незамужние девушки к тридцати, но они занимают приличные позиции и считают Игоря провинциалом, у которого нет в Москве ничего, даже квартиры.

— Московские девушки вообще все очень избалованные. Хотелось бы кого-нибудь без претензий.

Бедный Игорь! В офисе нельзя и на улице нельзя — Игорь не станет знакомиться на улице. В компании? Но он вырос не в Москве, у него нет одноклассников, однокашников, когда одно знакомство тянет за собой другое. Остается Интернет, но он человек старомодный и не верит в виртуальные знакомства, — в Интернете все для секса, а он хочет для серьезных отношений.

— Поэтому я выбрал тебя. Зарплата. Аттестация. Позиция...

Я поняла, почему Игорь сделал такую блестящую карьеру — он четко сформулировал причины и следствия и сделал выводы.

Игорь сказал, что применит ко мне правила убеждения, которые он изучил на корпоративных тренингах.

— Я уже применил к твоей маме четырнадцать правил, помогающих убеждать, и шесть точек воздействия на клиента. Презентация. Продажи различным типам личности. Приемы преодоления возражений. Приемы обоснования цены. Заключение сделки.

— Пожалуйста, не нужно. Презентация. Заключение сделки. Не нужно.

— Раз ты согласна, то, как говорится, договорились. ДППР, — подытожил Игорь. — У нас в компании так говорят тем, кто не в теме. Расшифровать? ДППР — давай попробуем, потом разберемся.

...Чужой поступок кажется совершенно диким, невообразимо идиотским до тех пор, пока не узнаешь все мотивы... но потом опять кажется диким.

В комнату вошла мама с независимым лицом, на котором было написано «как ты могла подумать, что я подслушиваю за дверью?».

— Поздравляю вас, дети мои. — Мама растроганно улыбнулась Игорю и метнула на меня короткий злой взгляд. — Как романтично, когда сестры — невесты... Игорь, ты, наверное, хочешь сходить в магазин за шампанским... А мы тут с Лизой пока кое-что обсудим... насчет свадьбы.

— Хорошо, обсуждайте, — согласился Игорь. — Но имейте в виду: ЛДПР здесь я. Расшифровать? ЛДПР — лицо, действительно принимающее решение... Ну, я пошел за шампанским.

— ЖППВ, — пробормотала я себе под нос, но он услышал, и мне пришлось пояснить: — Желаю приятно провести время.

Как только за Игорем закрылась дверь, мама тут же сменила имидж счастливой матери, у которой две дочери — невесты, на имидж нашего кота, которого уличили в краже сметаны, и теперь ему немного неловко.

— А что здесь такого? — независимо начала мама. — Ничего я не подслушивала, просто стояла недалеко, под дверью... Ну, хорошо, я подслушивала. И что? Я всю жизнь мечтала подслушать, как тебе делают предложение!

— Мама, не можешь же ты всерьез считать, что я выйду за него замуж? — Я улыбалась и не понимала, почему мама не смеется вместе со мной.

— Почему? — так сухо и требовательно спросила мама, что я растерянно пожала плечами и забормотала:

— Ну как почему, это каждому понятно, почему... почему-почему... Потому что. Потому что он глупый. Он же глупый!..

— Ну не так чтобы совсем глупый... Я не вижу ничего уж такого страшного... — задумчиво отозвалась мама и энергично добавила: — А кто умный?! Твой отец умный, и что я с этого получила? Под старость лет жить под дамокловым мечом? Я имею в виду остаться без крова! А теперь еще ты — не хочешь выйти замуж и выгоняешь меня на улицу?

Мама засунула в шкаф мои кофточки, поправила косо лежавшее покрывало и между делом быстро приняла облик то ли бездомной старушки, то ли короля Лира.

— Но ведь теперь все хорошо. — Я примирительно погладила маму по плечу. — Какая разница, кому принадлежит наш дом, лишь бы мы оставались здесь жить...

— Бедное наивное дитя, ты не знаешь человеческой природы, а я знаю, — вздохнула мама. — Планы Игоря могут измениться в любую минуту...

Мне стало так обидно, так больно, как будто я маленькая девочка и вдруг поняла, что мама меня не любит. Я привыкла к тому, что мама любит меня меньше, чем Лидочку и Женю, а сейчас я поняла: она любит меня меньше, чем Лидочку, Женю и Марию, меньше всех! Вообще не любит, не любит меня, ей безразлично — пусть я буду несчастной в обмен на этот старый полуразвалившийся дом!..

— Лиза, что с тобой, почему ты плачешь? Ты не плакала даже в детстве... Ну, хочешь, я спеку «Наполеон»? С таким кремом, как на прошлый Новый год, помнишь?.. — испугалась мама и обиженно сказала: — Лиза, посмотри мне в глаза. Неужели ты могла подумать, что я уговариваю тебя выйти замуж из-за того, что твоя семья может остаться без крыши над головой? Если ты так думаешь обо мне, своей матери, то... то я даже не знаю, что я тебе сейчас сделаю! Как ты могла, Лиза?

Я плакала, просила прощения, мама гладила меня по голове, как Лидочку, приговаривая: «Девочка моя выходит замуж, девочка моя — невеста», и я уже подумывала, не выйти ли мне замуж, чтобы она называла меня «моя девочка» и гладила по голове.

— Девочка моя, я взываю к твоему благоразумию, твоему знанию жизни, — самым своим задушевным голосом сказала мама. — Я не буду говорить тебе, что тебе уже не восемнадцать лет, что ты должна думать о своем будущем, что Игорь положительный человек, что у него прекрасные перспективы... Я только скажу: тебе уже не восемнадцать лет, ты должна думать о своем будущем, Игорь положительный человек, у него прекрасные перспективы. Я поговорила с ним по душам...

— Но, мама, ты говоришь так, будто я старая дева!

— А ты и есть старая дева! Что, разве тебе восемнадцать? Тебе двадцать один год — я же и говорю, старая дева! Кто в институте замуж не вышел — тот старая дева! Тебе сделали предложение, от которого нельзя отказаться, — решительно закончила мама.

— Мама, но мы же не в романе девятнадцатого века! Кто сейчас выходит замуж только потому, что сделали предложение?!

— Все! Все выходят замуж! — вскричала мама.

— Но, мама... Я его не люблю, он мне даже не нравится! Неужели ты скажешь мне «стерпится — слюбится» и выдашь меня замуж против моей воли?.. Усыпишь меня и выдашь замуж под наркозом!.. — сквозь слезы улыбнулась я, приглашая маму посмеяться вместе.

Я сидела перед мамой, как зареванная первоклассница, а мама, мама работала со мной, как она умеет: льстила, шутила, уговаривала, отступала, соглашалась и опять наступала, делала вид, что я уже приняла ее аргументы. А я никак не могла поверить, что все это говорится всерьез, и нервно хихикала от абсурда ситуации.

— Выходи замуж, Лиза... — заключила мама. — Конечно, это совсем не то, что Женин брак, но ведь и ты не такая красавица, как Женя. Женин случай — один на миллион, а все остальные должны радоваться тому, что реально... Лиза! Ты же всегда сможешь развестись! Главное, что ты уже была замужем, это будет совсем другое дело! Тогда ты сможешь спокойно выбирать... Лиза! Я хочу, чтобы тебе было хорошо. Мама тебя любит, так любит...

Если бы моя мама решила стать менеджером по продажам, ей не нужно было бы изучать способы активного диалога, потому что ее продажи были бы не диалогом, а монологом. И она в один миг стала бы национальным менеджером по работе с ключевыми клиентами.

Мама прикрыла глаза, по щеке у нее катились две слезы, и я опять чуть было не заплакала, но вдруг заметила: мама приоткрыла левый глаз и кинула на меня острый внимательный взгляд, словно проверяя, уже достаточно или нужно продолжать.

— Лиза, иногда кажется, что это глупость, а это лучшее, что посылает судьба... — устало сказала мама уже безо всякого имиджа. И мне вдруг стало страшно: а вдруг мама права и наш новый родственник — это лучшее, что мне посылает судьба?

Мама прижала меня к себе и нежно сказала:

— Моя маленькая малышка-глупышка слушается мамочку... Ну, а теперь мы пойдем к отцу и скажем ему, что ты выходишь замуж, а свадьбу устроим вместе с Жениной свадьбой.

— Не-ет! — заорала я. — Отстань от меня, я тебя ненавижу!

Неловко получилось, что я так сорвалась, как подросток. Мне двадцать один год, я уже старая дева, а до сих пор нахожусь в переходном возрасте.

Не успела мама выйти из комнаты — это был царственный выход, с трагически закушенными губами и выражением лица человека, достойно несущего свое горе, — с криком ворвались девочки.

— Лизка, ты выходишь замуж за зануду? — кричала Лидочка. — Ты тоже будешь зануда, и дети у вас будут зануды!

— Игорь не зануда, он глупыш, — возразила Мария. — Лиза, ты тоже будешь глупышка, и дети у вас будут глупыши...

Я думала, что мама уже ушла, но она все еще стояла под дверью — из коридора вдруг послышались печальные слова:

— Видишь, как девочки его полюбили...

Я спустилась вниз и договорилась с девочками, что они ни на минуту не оставят нас с Игорем наедине. Казалось, Игорь боялся того же, он так тщательно старался не смотреть на меня, как будто между нами произошла глупая неловкая история — но ведь так, в сущности, и было. Игорь поставил шампанское в угол и, вместо того чтобы, как полагается счастливому жениху, после переговоров заключившему сделку, обсуждать свадьбу, предложил провести какой-нибудь корпоративный тренинг, например тренинг продаж.

— Ты уже проводил с нами тренинг продаж, — напомнила Мария.

— Я сформировал у вас качества эффективного продавца и целостное представление об основных этапах продаж. Осталось практическое освоение эффективных приемов на разных этапах продаж. А можно провести тренинг межличностного общения.

Мы согласились: я — чтобы снять напряженность и занять возбужденных девочек, Мария — из любопытства, а Лидочка — от скуки — все лучше, чем делать уроки.

Игорь рассадил нас вокруг себя и спросил:

— Вот скажите, с чего начинается акт общения?

— Хи-хи, акт, — хихикнула Лидочка.

— Нужно сформулировать цель, — предположила Мария.

— Неплохо мыслишь, — одобрительно кивнул Игорь. — Но самое первое — контакт.

— Хи-хи, контакт, — хихикнула Лидочка, а Мария приготовилась записывать.

Игорь усадил Лидочку и Марию друг напротив друга и велел им смотреть друг другу в глаза и сказать ему, когда станет невмоготу.

— Ну, долго нам играть в гляделки? — спросила Лидочка, не отводя взгляда.

— Так неправильно, — разочарованно протянул Игорь. — Вы должны были сразу же сказать, что чувствуете себя неловко, а я вам на это — что нужно смотреть не в глаза партнера, а на переносицу... Ну хорошо, это я вам преподал. Теперь я вас научу, какие должны быть правильные позы.

— Хи-хи, позы, — обрадовалась Лидочка.

— Самое главное — это ноги. Все знают, куда девать руки — руками можно держать блокнот или ручку, а вот ногами... Представьте себе, что вы сидите на переговорах в низком кресле. И вдруг вам предлагают плохие условия продажи, вы злитесь, и ваши ноги на глазах у партнера начинают дергаться!

Игорь уселся в кресло и задергал ногами. Он увлеченно принимал правильные позы, Лидочка повторяла за ним, гримасничая, как веселая обезьянка, Мария старательно конспектировала, а я смотрела на них и думала: «Лучше я буду всю жизнь жить в одной комнате с девочками, чем с Игорем. Лучше я буду всю жизнь слушать про Шопенгауэра и Ницше, про помаду и бигуди, чем про акт, контакт и позы».

Я потихоньку вышла из комнаты и прокралась к себе, но вдруг услышала сверху, из отцовского кабинетика, мамин голос: «Лиза! Ли-за!»

— Если она не выйдет за твоего родственника, она мне больше не дочь! — патетически воскликнула мама.

— Если она не выйдет за твоего родственника, она мне больше не дочь, — мирно откликнулся отец.

— Хороший жених, правда? — гордо спросила мама, как будто хвасталась удачной покупкой.

— Неплохой, — подтвердил отец. — Лизин жених отлично справляется с жизнью в рамках домашнего обихода и материального благополучия, успешно работает и даже... э-э... занимает определенную должность. Он неплохо приспособлен к жизни, всегда следует правилам, благонравен...

Мама довольно улыбалась и кивала головой, как китайский болванчик, — да, да, да.

— Он с высокопарным видом произносит витиеватые фразы, но нам не придется к этому привыкать, поскольку они не будут жить с нами. Лизин жених относится к типу конституционально глупых...

— Это еще что такое? — подозрительно выпрямилась мама.

— «Конституциональноглупый» означает неумный от природы, — пояснил отец.

— Но ты же сказал, что если она за него не выйдет, она тебе больше не дочь, сказал?!

— Прости, я оговорился. Если она за него выйдет, она мне больше не дочь, — поправился отец.

Мама молча смотрела на отца.

— Мы не хотим выходить замуж, — улыбнулся отец и смешно развел руками, как будто извиняясь.

— Ты не хочешь выходить замуж, вот и не выходи! А она еще сама не понимает своего счастья! Глупая самонадеянная девчонка! Я ее научу понимать!

— Оставь ее в покое, — предложил отец.

Почему-то они говорили обо мне в третьем лице, как будто меня здесь не было. Но ведь я стояла здесь, перед ними, переминаясь с ноги на ногу, как провинившаяся малышка.

— О-о!.. Пусть она уйдет. — Мама метнула бешеный взгляд на меня и на дверь. — Мне нужно поговорить с тобой без посторонних ушей!

— Пусть она уйдет, — согласился отец. — И ты тоже... пусть ты тоже уйдешь.

Я вышла из кабинетика, и тут же раздался крик.

— Ты испортил мне жизнь! — кричала мама.

— Но ведь сегодня воскресенье. Воскресенье — это не понедельник, — вразумляюще сказал отец.

Раз в неделю, по понедельникам, мама врывается в кабинетик, бурно изливает на отца раздражение, негодование, обиду. Повод для этого всегда самый пустячный — пропавший кот или неудавшийся «Наполеон», но мама плачет, кричит, что отец испортил ей жизнь, и наконец уходит умиротворенная, оставляя отца самостоятельно справляться со своим недоумением. Зато потом она до следующего понедельника не входит к нему — это негласное правило, которое мама не нарушает.

...В самом начале этой истории я договорилась с собой, что напишу обо всем, не обеляя себя, не приукрашивая, как это обычно бывает, когда человек пишет сочинение или мемуары. И в том числе честно напишу о том, как я подслушивала под дверью.

Не то чтобы в мои привычки входит всегда подслушивать под дверью, как ссорятся родители, но иногда, когда дело касается меня... К тому же это была не настоящая ссора, а смешной игрушечный конфликт, разговор, который мама вела, как всегда, всерьез, а отец, как всегда, в шутку.

Я привожу этот разговор полностью, так, как я его подслушала.

— Ты должен на нее повлиять. Это ее судьба, я чувствую, я знаю... Не случайно он появился здесь через столько лет именно в тот момент, когда Женя уже невеста, а Мария для него недостаточно взрослая. — Мамин голос звучал задушевно.

— Мария?

— Может быть, ты не можешь припомнить, кто такая Мария?.. Это твоя дочь. Ей восемнадцать лет. — Мамин голос звучал раздраженно.

— Уже восемнадцать? — Голос отца звучал удивленно.

— Да... Ох, ты имеешь в виду?.. Да, пожалуй, ты прав — ей уже восемнадцать. Пусть она выходит замуж за твоего родственника. Я чувствую, что это ее судьба, а ты?

— А может быть, Лидочка? Ты готова пожертвовать моему родственнику Лидочку? — Голос отца звучал задумчиво.

— Но Лидочка еще учится в школе, ей только пятнадцать лет, их не распишут! ...Разве только она забеременеет... — Мамин голос звучал озадаченно и почти сразу же возмущенно: — Я поняла, ты надо мной издеваешься!

Молчание.

— Молчание — знак согласия, — печально констатировала мама. — Я так и знала, ты в очередной раз испортил мне жизнь.

Я очень удивилась, увидев внизу Люду, — в этот день так много всего произошло, что, казалось, должна была быть уже глубокая ночь.

— Не спишь так поздно, что-то случилось? — спросила я.

— Не сплю. Сейчас три часа дня, — ответила Люда.

Три часа дня, воскресенье, а у нас в доме уже сделано предложение, устроена подростковая истерика, проведен тренинг межличностного общения и что-то еще... ах, да, отец опять испортил маме жизнь.

Я быстро обняла Люду и зашептала:

— Ты мне друг? Нет, скажи, ты мне друг?.. Я тебя умоляю, если ты мне друг, уведи из дома нашего родственника!.. Лучше до ужина, идеально до вечера... Что ты с ним будешь делать? Ну, сначала пройдись с ним до калитки, а потом незаметно поведешь его все дальше, дальше... в Петергоф или в Павловск... Мама чуть не выдала за него замуж сначала меня, потом Марию... Ничего не вышло, ему остались только достопримечательности...

Люда понимающе засмеялась и спросила, как в детстве: а что ты мне за это дашь?

И я ответила, как в детстве: конфету-леденец, конфету-мармелад, конфету-шоколад.

Поздно ночью у отца еще горел свет. Сегодня был тот редкий день, когда нам хотелось разговаривать об одном и том же — о конституциональноглупых, но мы никогда не говорим наверху о том, что происходит внизу, поэтому мы очень хорошо, тепло и откровенно поговорили об императоре Ираклии. Отец читал мне Феофана:

«В 622 г., отпраздновав Пасху, в понедельник вечером Ираклий выступил в поход против персов. Находясь в крайней нужде, он позаимствовал денежные средства из церквей и монастырей, из Великой церкви приказал отобрать паникадила и другие церковные сосуды и начеканил из них золотой и мелкой разменной монеты. Для управления делами за своим отсутствием назначил регентство, в которое вошли, кроме его сына, патриарх Сергий и патрикий Вон, муж тонкого ума и умудренный разумом и опытностью...»

Всю оставшуюся до отъезда неделю Игорь почти не бывал дома, уходил утром и исчезал до позднего вечера Я радовалась и не задавалась вопросом — ну, допустим, днем он осматривал достопримечательности, но Эрмитаж закрывается в шесть часов, что же он делает вечерами?..

Мама была холодна ко мне из-за того, что я все еще не замужем, к Марии из-за того, что она недостаточно взрослая для Игоря. Мама разговаривала сквозь зубы со всеми, кроме Лидочки.

Обычно мы вечерами сидим каждая у себя в комнате, но в этот раз все мы, не сговариваясь, оказались на веранде, делая вид, будто собрались к вечернему семейному чаю. Но мама демонстративно не обращала на нас внимания, а с Лидочкой они вели себя как заговорщики, шептались, переглядывались. Мария и я завистливо терлись неподалеку, пытаясь обратить на себя мамино внимание... Странно — кажется, что мама тебе ужасно надоела, и вдруг — ой, где же мама?

— Ничего не помогает, — тихо сказала маме Лидочка.

— Но, детка, мы уже и медом мазали, чесноком натирали... — перечислила мама.

— Мама, Лидочка больна? Кашляет? — подхалимским голосом спросила я. — Хочешь, я поставлю ей горчичники? Или сделаю йодную сеточку?..

— Не нужно нам от вас ничего, йодные сеточки мы делали. Говорят, еще хорошо помогает капуста... — задумчиво отозвалась мама и принесла из кухни кочан капусты.

— Я и так из-за тебя хожу в полосках, как жираф, и пахну чесноком, а теперь еще капуста... ненавижу капусту... — капризно скривилась Лидочка, глядя на маму, как младенец, требующий соску. — Хочу, чтобы у меня была большая грудь.

Оказалось, что Лидочка не больна, а просто хочет, чтобы у нее была большая грудь. Лидочка с мамой постоянно предпринимают какие-то действия по улучшению Лидочки — перекрашивают волосы, пробуют разную косметику. На этот раз они увеличивали Лидочке грудь.

Большая грудь должна была появиться к пятнице. Что-то такое в пятницу произойдет, что необходима большая грудь, — дискотека или вечеринка. И они с мамой уже перепробовали все народные средства — йодные сеточки, медовые и чесночные маски, а воз и ныне там, то есть грудь не увеличилась ни на сантиметр.

Лидочка уныло жевала капустные листы, как коза, и плевалась — «ненавижу капусту», — а мама ласково уговаривала ее — «ну, еще один листик, за мое здоровье»...

— А я знаю про это с научной точки зрения, — подобострастно заглянула маме в глаза Мария. — Американские исследования доказали, что маленькая грудь лучше, потому что объем груди создается подкожным жиром, а жир притупляет чувствительность нервных рецепторов.

— Зачем мне эти рецепторы? — удивилась Лидочка.

— Не порти мне ребенка, — воинственно огрызнулась мама и погладила Лидочку по голове.

— А-а, они имеют в виду для секса! — из-под маминой руки вскричала Лидочка. — Ну и дураки! Передай американцам, что большая грудь гораздо сексуальней — это раз. Грудь увеличивается, когда ее трогает мужчина, — это два. А когда начинаешь жить половой жизнью, грудь сразу же увеличивается вдвое — это три. Я это точно знаю — мне одна девочка сказала!

Я представила себе, как я с размаху шлепаю Лидочку по попе... Нет, с размаху ей будет больно — я легонько шлепаю ее по попе... нет, я лучше вообще не буду ее шлепать, ведь она еще ребенок. Я лучше объясню ей, что нельзя слушать «одну девочку», в голове у которой все предрассудки мира.

— Лидочка, мед, чеснок, йодная сеточка и половая жизнь — это глупости, предрассудки... — начала я.

— Я хочу большую грудь, потому что мужчины любят большую грудь!.. — вскричала Лидочка.

Лидочка — единственная из нас, кто может при маме обсуждать такие темы — мне бы и в голову не пришло как-то показать маме, что я знаю, откуда берутся дети.

— Тогда съешь кочан капусты, — мрачно сказала я и ушла к себе. С меня достаточно унижений!

...А мама так меня и не простила.

Визит нашего родственника подходил к концу — завтра вечером Игорь должен возвращаться в Москву...

Мама все еще меня не простила, а теперь, когда тетя Ира принесла нам неожиданное ужасное известие, мама вообще никогда меня не простит...

Достоинство, с которым мама приняла неожиданное ужасное известие, вызывает уважение, у мамы потрясающая сила воли... Единственное, что она себе позволила в этой драматической ситуации, — это неудавшийся «Наполеон».

Но по порядку.

Мама с тетей Ирой сидели на кухне, мама сбивала крем для «Наполеона», тетя Ира пила чай.

— Он такой надежный человек. Человек, который принимает на себя всю ответственность, она за ним будет на диване лежать... — сказала тетя Ира.

— Кто «она» и кто «он»? — лениво спросила мама, не отрывая взгляда от крема. Она пробовала новый рецепт — два дня выдерживала тесто на холоде, а вместо обычного заварного крема делала масляный.

— Кто он?.. Да он. Такой надежный человек. Человек, который принимает на себя всю ответственность... — смущенно протянула тетя Ира

Не буду выдерживать читателей, как тесто: Люда выходит замуж за Игоря и уезжает в Москву.

Тетя Ира произнесла страшные слова «Игорь и Люда» с видом врача, делающего сложную операцию и решившегося на первый надрез. Мама перенесла ее слова как пациент, которому сделали первый надрез, но забыли дать наркоз, — вскрикнула и жалобно посмотрела на врача.

Увидев, что пациент жив и не упал в обморок, тетя Ира уютно расположилась с чашкой чая между коржами для «Наполеона» и подробно рассказала о предпринятых действиях: Люда уволилась с работы, Люда купила платье, Игорь ведет по Интернету поиски работы для Люды, завтра Люда вместе с Игорем уезжает в Москву.

— Москва — столица нашей родины... — вот и все, что произнесла мама.

И еще кое-что.

— В лучших чувствах, оскорбил нас в лучших чувствах... Я ему на прощанье пеку «Наполеон» по новому рецепту, а он мне такое... Ведь это Лиза должна была выйти за него замуж или в крайнем случае Мария, — горестно сказала мама и еле слышно прошептала в сторону: — И вот он женится бог знает на ком мне назло!

Гордость тети Иры и отчаяние мамы остались скрытыми за внешними приличиями, и общие чувства бесхитростно выразила Лидочка — она еще ребенок и не чувствует нюансов.

— Ух ты, твою мать! — восторженно взвизгнула Лидочка и испуганно покосилась на меня. У нас с ней договоренность: за каждое грубое слово я вычитаю сто рублей из тех денег, которые я когда-нибудь ей дам.

— Вырази свою мысль на правильном русском языке, иначе ты сама знаешь, что будет... — потребовала я.

— Ух ты, какие тихарилы, — послушно сказала Лидочка.

— Нет. Не так.

— О-о... ну... ух ты, какие они... — Лидочка задумалась, наморщила лоб. — Не знаю, как сказать...

— Какие они скрытные, замкнутые, сдержанные, осторожные, себе на уме... — учительским голосом подсказала я.

Мама попрощалась с тетей Ирой мирно и даже любовно:

— Напомни, сколько твоей Люде лет? Двадцать девять?

— Люде только что исполнилось двадцать семь, — подсказала тетя Ира.

— Ну, я же и говорю — тридцать, — подхватила мама. — Твоя Люда совершенно правильно поступила. Некрасивая девушка под тридцать должна ловить свое счастье. Ну что ты, дорогая, не хмурься, кто же

162

говорит о твоей дочери, я так, в общем. Твоя Люда молодец, схватила Игоря, как лев ягненка, как вепрь, как коршун!.. Я очень тебя поздравляю!..

Как только за тетей Ирой закрылась дверь, мама бросилась в свою комнату и улеглась с полотенцем на голове.

— Какая все-таки у них в семье неприятная ловкость! Эта женщина и свою дочь так воспитала — ни совести, ни скромности, одно желание урвать, захапать себе что-нибудь получше... И если эта женщина еще раз придет к нам, если у нее хватит совести прийти в мой дом, скажите ей — у меня для нее болит голова. Не буду с ней больше дружить.

Эта женщина — тетя Ира. Дружба мамы и тети Иры как качели. На качелях взвешиваются благополучие и удачливость, и тот, кто на данный момент более благополучен и удачлив, взмывает вверх, а другой болтается внизу, и только иногда наступает зыбкое равновесие. Сейчас маме казалось, что тетя Ира вознеслась до небес и оттуда показывает ей язык, а она сама со всего маху бухнулась вниз.

Мама приподнялась в постели и горько произнесла:

— Господи боже мой, как ты допустил, что Люда выйдет замуж раньше Жени, раньше Лизы, Марии и Лидочки?! Ты видишь, что Люда — без пяти минут владелица нашего дома, участка, всего! Ты понимаешь, что мы живем у нее из милости?.. Как пережить, господи боже мой, как пережить это?.. — Мама помолчала, будто прислушиваясь к ответу, и сказала: —

163

Ну, ничего, еще не все потеряно! Когда Женя станет хозяйкой Дома, мы еще посмотрим, кто кого.

Последнюю ночь перед отъездом Игорь собирался провести у Люды, и уезжать они должны были от них, поэтому мы попрощались с ним заранее.

Мама с полотенцем на голове произнесла прощальные слова, не выходя из комнаты, отец тоже простился с ним в доме, девочки махали руками у калитки, а я попросилась сходить вместе с Игорем к Люде. Нет-нет, я не собиралась спрашивать свою подругу, как следователь, почему она выходит замуж так скоропалительно, без любви. Я просто хотела поздравить ее.

Мы взяли шампанское, купленное Игорем по случаю сделанного мне предложения, и отправились к тете Ире и Люде.

Игорь вел себя как счастливый жених — пил шампанское, обнимал Люду, а Люда вела себя как невеста — слушала Игоря внимательно, смотрела ласково. Я посидела у них полчаса в знак мира и дружбы и попрощалась, и Люда, оставив Игоря с тетей Ирой обсуждать, какие вещи нужно взять с собой сразу же, а какие могут подождать, вышла проводить меня до калитки.

— Лиза, ты хочешь спросить меня кое о чем, — начала Люда.

— Да, я хочу спросить: ты будешь работать в роддоме или в поликлинике? — заторопилась я. Не могла же я спросить — как умная Люда мирится с тем, что Игорь откровенно глуп.

Но Люда... мы же с ней с детства дружим. Люда засмеялась и сказала — не ври. Передо мной опять была моя Люда, а не какая-то безликая невеста, и я с облегчением выпалила:

— Люда! Но он же идиот!

— Лиза! Не забывайся, это уже почти мой муж, — одернула меня Люда. — Ну ладно уж, пока мы не поженились... Допустим, идиот... но разве это такая большая редкость, когда жена умнее мужа?.. Мы в институте проходили: средняя женщина умнее, чем средний мужчина, так почему мне должно повезти больше, чем другим? Я не красавица, как Женя, и не такая умная и ироничная, как ты. У меня вполне разумные претензии, мне нужно простое — муж, семья, ребенок. Игорь хорошо поддается влиянию, — я стану главной и буду его направлять. И он будет меня любить.

— Но Люда, Люда! А как же разговаривать о чемто важном, умном, вместе смеяться, понимать друг друга? Мне так грустно то, что ты говоришь!

— Ни капельки не грустно. Представь, что ты сначала едешь с мужем в магазин покупать холодильник и разговариваешь с ним о холодильниках. Потом обедаешь в кафе и говоришь о еде, потом дома смотришь кино и смеешься над фильмом, ложишься спать... А когда будет ребенок, мы уже родственники, ты вообще не вспомнишь, глупый твой муж или умный.

Я представила, как глупость растворяется в повседневности... Действительно, какая разница, с кем ты покупаешь холодильник, обедаешь в кафе, приезжаешь домой, ложишься спать... а когда рождается ребенок, обсуждаешь пеленки, успехи в школе, женитьбу, внуков... и умираешь, считая, что это была любовь.

Люда улыбнулась и, оглянувшись на дом, прошептала:

— Насчет секса... ты знаешь, я к этому отношусь как врач: если ты в принципе способна испытать удовольствие, то ты его испытываешь. Любовь здесь ни при чем, главное, чтобы человек был тебе не противен.

— Я так хочу, чтобы ты была счастлива! — горячо сказала я.

— Я и буду, не сомневайся.

Глава 6

Мама все еще по привычке кидала на меня то печальные, то угрожающие взгляды, но я знала — маминого сердца я не разбила. Если бы я вышла замуж за нашего нового родственника, мой брак стал бы для мамы всего лишь приятным событием в ряду других приятных событий, но никак не прекрасным, волшебным, феерическим торжеством — все свои честолюбивые надежды мама связывала не со мной, а с Женей.

И теперь мама повела себя как прирожденный полководец, не обращающий внимания на мелкие поражения: убедившись, что ее битва за менеджера продаж проиграна, она не стала предаваться отчаянию, быстро пришла в себя и снова обратилась к главной цели сезона. Женино замужество, отодвинутое на задний план из-за «страшного предательства этих людей, о которых я больше никогда не хочу слышать ни слова», снова занимало все мамины мысли. Уже спустя три дня после отъезда «страшных предателей» в Москву она искренне считала, что Игорь делал предложение по очереди мне и Марии, получил отказ, и мама из любви к Игорю и тете Ире интриговала, устраивала, хитрила, не жалея себя, старалась женить его на Люде. И тетя Ира должна быть ей благодарна. Мама — это удивительная загадка природы.

Но теперь мама полностью сосредоточилась на Жене и Вадике.

Я терялась в догадках, почему мама оставила Женю в покое и ни разу не попыталась навестить ее в Доме, поговорить по душам с Вадиком, перетянуть себе в союзницы Алину, в общем, внедриться и поруководить. Оказывается, мама очень боялась заразиться ветрянкой — кто-то сказал маме, что в ее возрасте возможно заболеть повторно, и при этом следы от пузырьков останутся навсегда.

Теперь у мамы появилась возможность беседовать с Вадиком по душам через забор. Вадик начал выходить гулять, и всякий раз, когда он прогуливался по своему огромному участку как по парку, мама окликала его сверху — «Ва-дик!» — и делала ему знак подойти к забору. Вадик послушно подходил, мама спускалась вниз со своего поста, отодвигала расшатанную доску... Откуда в заборе взялась расшатанная доска? Не удивлюсь, если мама сама же ее и расшатала.

Они подолгу простаивали, беседуя через дырку в заборе, — мама с ее умением втянуть человека в разговор по душам и Вадик с его неумением сказать «спасибо, не нужно».

Но может быть, Вадику было нужно? Иначе зачем бы он рассказывал маме, в какой крошечной квартире на окраине Нефтеюганска прошло их с Алиной детство, как они оставались подолгу одни под присмотром соседки, какие у них были любимые игрушки — у Алины одна бедная куколка, а у него одна разбитая машинка. О своем отце Вадик говорил неохотно, но с уважительным придыханием, о матери Вадик совсем не говорил — она умерла, когда дети были маленькими. Мама за глаза называла Вадика «бедный сиротка, ему так нужна моя материнская забота».

В маминой передаче это была смесь рождественской истории о бедных малютках, ставших миллионерами, и психоанализа... Мама подробно обсуждала с тетей Ирой, какие комплексы развились в бедном сиротке, — тетю Иру долго не принимали в нашем доме, но к концу третьего дня опалы простили. Тетя Ира считала, что в сиротке развились боязнь одино-

168

чества, желание найти любовь в первом встречном, поэтому его чувства и привязанности мимолетны и ненадежны... Мама, напротив, считала, что в сиротке развились боязнь одиночества, желание найти любовь, поэтому его чувства и привязанности крепки и надежны. Мамин вердикт о Вадике был таков — хороший мальчик.

— Ты каждый день говоришь с ним через забор, — сказала тетя Ира маме. — Скажи честно, не увиливая, он сделал тебе предложение?

— Он? Сделал, — небрежно ответила мама.

Это была оговорка по Фрейду. Тетя Ира и мама, конечно, имели в виду предложение Жене, но Женей руководит мама, и Вадиком теперь руководит мама, и предложением тоже руководит мама.

— Конечно, он сделал мне предложение, а что?

Тетя Ира тонко улыбнулась.

— Сделал, сделал! — надулась мама. — Имей это, пожалуйста, в виду, а то ведь ты и твоя дочь любите польститься на чужое.

Мамины слова звучали довольно ехидно, при этом она так подозрительно вглядывалась в свою давнюю подругу, будто опасалась, не уведет ли тетя Ира у нее из-под носа Вадика, как ее дочь увела нашего родственника.

Но тетя Ира не обиделась — победители не обижаются, они могут позволить себе быть милыми и доброжелательными, — и еще раз, тонко улыбнувшись, посоветовала:

— Я ведь от всей души... Я бы на твоем месте не пускала дело на самотек...

Но мама и сама больше не хотела пускать дело на самотек.

Мама послала меня в Дом, как Красную Шапочку, с пирожками и горшочком масла.

Было утро воскресенья, машина Сергея стояла на участке, и сам Сергей был дома, я видела его с моего наблюдательного пункта — из-за занавески.

Спрашивается, почему самолюбивый, независимый человек, без пяти минут защитивший диплом «Специальная теория относительности и релятивистская астрофизика», надел нарядную юбочку и новую шапочку и понес пирожки и горшочек масла, как Красная Шапочка? О-о... ну, потому, что мама его послала, а этот человек — он всегда слушается маму.

Неубедительно? Тогда потому, что у него был исследовательский интерес. Он прочитал одну старую, дореволюционную книгу «Искусство обольщения» и одну современную, «Как завоевать мужчину», и ему захотелось проверить, правильно ли в литературе освещается искусство обольщения. Да, именно так, исследовательский интерес — это звучит лучше.

Дореволюционные способы обольщения сводились к тому, что мужчины — это интеллектуально недостаточные существа, которых необходимо ненавязчиво направлять в нужную женщинам сторону. Современные способы обольщения, в сущности, сводились к тому же: мужчины — это идиоты, которых нужно загнать в ловушку на правильную приманку. Дальше имелись разночтения.

Дореволюционное искусство обольщения было нежным и тонким: вовремя поданная ручка, мелькнувшая из-под длинного платья ножка, выбившийся локон, кокетливый стреляющий взгляд «нос, угол, на предмет». Но это не главное... Дореволюционное искусство обольщения было направлено на создание иллюзий. Девушка должна была создать у мужчины иллюзию, что он СПБГУ — я, по примеру нашего родственника, использую аббревиатуру. СПБГУ не означает Санкт-Петербургский государственный университет, диплом которого я вот-вот получу, и не означает САМЫЙ ПЛОХОЙ БЕСТОЛОЧЬ ГАДКИЙ УЗКОЛОБЫЙ. СПБГУ означает САМЫЙ ПРЕКРАСНЫЙ БЕССТРАШНЫЙ ГЛАВНЫЙ УНИКАЛЬНЫЙ.

Чтобы создать у мужчины иллюзию, что он СПБГУ, девушка должна была уметь слушать. Нет, не слушать, а слушать — податься вперед, глядя широко раскрытыми восторженными глазами, показывая всем своим существом, что перед ней самый прекрасный, бесстрашный, главный, уникальный...

Ну, а если уж девушка принималась разговаривать, то она должна была говорить с мужчиной о нем самом, а не трещать без умолку о себе. Девушке следовало наводящими вопросами изящно заставить мужчину рассказать о том, как он вел себя на поле брани, что он думает о погоде, о работе Сеченова «Рефлексы головного мозга», о новом кабинете министров, — и тут важно понимать, что все это было не о погоде, рефлексах головного мозга или министрах. Все это — о том, «какой вы умный...».

Итак, самое главное — ОН, О НЕМ, ЕМУ, ну и остальные мелочи — беспомощность, демонстративное незнание неприятных сторон жизни.

Цель дореволюционного обольщения — поймать и жить с ним счастливо до самой смерти, а цель современного обольщения — поймать и съесть. Наверное, поэтому современное искусство обольщения, с одной стороны, гораздо более профессиональное, а с другой стороны — как будто топором по башке.

В книге «Как завоевать мужчину» подчеркивалось: мужчина интересует нас лишь в одном качестве — как охотника дичь. Слушать мужчину ни к чему, нужно стараться как можно больше говорить самой — мужчина торопится и может уйти до того, как ты успеешь рассказать ему о себе. Создавать иллюзию, что мужчина СПБГУ, не нужно, нужно создать иллюзию, что ты СПБГУ — самая прекрасная богатая гламурная успешная или самая придурковатая бедная горестная убогая, — варьируется в зависимости от выбранного амплуа.

Предпочтение отдается ролевым играм — умная девушка всегда кого-то изображает: она либо принцесса — неприступная, любящая бриллианты, либо Золушка — бедная, но гордая, с одинокой мамой-учительницей и чистыми ушами.

Но одно совпадение я все-таки обнаружила: в обеих книгах подчеркивалось, что невинность девушки имеет большую ценность. Правда, в дореволюционном издании речь шла о невинности душевной, а физическая невинность предполагалась. В современном издании о душевной невинности речь вообще не шла, а только о физической. Совсем юным девушкам предлагалось восстановить девственность при помощи небольшой операции, а остальным рекомендовали подарить своей дичи, то есть избраннику, хотя бы кусочек своей невинности. Девушка должна сказать: «У меня еще никогда так не было», или «Ты первый мужчина, которому я отдалась, остальные брали меня силой», или «Ты первый мужчина, которому я отдалась бесплатно, остальные платили». Клянусь, что я не придумала это в ночном бреду, а прочитала в книге «Как завоевать мужчину».

Изобразить принцессу у меня не получится, к тому же среди заинтересованных лиц уже есть одна принцесса — Алина, изображать Золушку глупо — я для него натуральная Золушка. Поэтому я решила, что мне больше подходят дореволюционные правила обольщения: говорить с ним о нем самом и слушать, слушать, слушать, — если, конечно, он мне что-нибудь расскажет.

Наш родственник Игорь учил нас на домашнем тренинге продаж, как нужно правильно слушать, а я все пропустила мимо ушей. Но я всегда могу справиться у Марии.

— Мария, ты случайно не помнишь... — начала я.

— Случайно не помню, но у меня все записано.

Мария порылась в своих тетрадках и нашла конспект.

— Так, техники слушания... Первая техника: ты должна повторять за клиентом последнее слово. Он тебе говорит: «Цена на этот товар завышена», а ты повторяешь: «Завышена?» Тогда он начинает объяснять, почему завышена, и у тебя появляется возможность узнать его мнение и обдумать свои возражения...

— Возражения? — переспросила я.

— Лиза, что ты переспрашиваешь как дура? Если ты считаешь, что цена на товар не завышена...

— Не завышена?..

— Лиза, ты тупая? Если качества твоего товара соответствуют предложенной цене и маркетинговым исследованиям рынка...

— Рынка?

— Лиза, ты сошла с ума? Почему ты повторяешь за мной как попугай?!

— Проверяю технику. Кажется, не работает.

— Погоди, есть же еще вторая техника и третья... — разволновалась Мария.

— Спасибо, не нужно. Скажи лучше, ты случайно не знаешь, что такое любовь?

— Случайно знаю, — ответила Мария. — Это комплексный процесс импринтинга, совокупность биохимических процессов в организме человека. Один организм выбирает другой организм, и под воздействием амфетаминов возникает приподнятое настроение и эйфория. Контакт с любимым организмом сти-

174

мулирует выработку эндорфина в мозгу. Во время секса в обоих организмах выделяется окситоцин.

— Ты точно знаешь? — с сомнением спросила я.

— Это все знают, — заверила меня Мария.

Меня ничуть не интересовали ни способы обольщения, ни техники слушания, ни даже что такое любовь. Я не собиралась обольщать Сергея изящной беседой о погоде, рефлексах головного мозга и кабинете министров или своим умением повторять за ним как попугай. Все это была шутка.

Я испытывала одно простое и ясное желание — увидеть Сергея. Стыдно влюбиться в человека, которого не уважаешь, каждое утро рассматривать его из-за занавески, идти к нему в гости, как Красная Шапочка, невинный посланец своей мамы. Но что я могла поделать, если мой организм выбрал его организм?..

Я едва успела поздороваться, передать мамины пирожки, выпить кофе, полюбоваться томной Алиной в облаке разноцветных кружев, подумать, что было между ней и Сергеем этой ночью, как пришла мама. Мама была в имидже заботливой хозяйки — с нежно-хлопотливым лицом и бидоном в руках.

— Закончился инкубационный период, я уже не могу заразиться! Сегодня ровно двадцать один день, и — вот и я. А вот бульон. Куриный бульончик к пирожкам, — сказала мама, протягивая Вадику бидон.

175

За мамой маячила Лидочка, и все это вместе — я, мама, Лидочка — было ужасно, стыдно, неловко, как будто мы всей семьей оккупировали их дом, прикрываясь пирожками и бидоном!..

— У вас тут так много места, нужно вечеринку устроить!.. — Лидочка с восхищением обвела глазами кухню-гостиную. — Я могу привести гостей, если вам некого позвать.

...Мама походила по дому, осмотрела мебель, технику, посуду, вернулась на кухню и посоветовала сменить плиту — эта наверняка плохо печет, купить другую мясорубку — эта слишком крупно перемалывает, пользоваться полотняными полотенцами вместо бумажных — это гигиеничней.

— Чуть не забыла — подарок! — воскликнула мама и достала из сумки красную клеенку в белый горошек. — На столе обязательно должна лежать клеенка. Так будет гораздо уютней.

Мама суетилась, сдвигая посуду, чтобы накрыть огромный стеклянный стол в стиле хай-тек клеенкой в горошек.

...Мама давала советы по экономному ведению хозяйства, настаивала на своем, хотя никто с ней не спорил и даже не отвечал. Вадик держал под столом Женю за руку, а Женя так нежно смотрела на стоящую перед ней сахарницу, что я вдруг почувствовала обиду и ревность, не к сахарнице, конечно, а к Вадику.

Женя с Вадиком любили друг друга, я ревниво размышляла, есть ли я теперь в Жениной жизни или только Вадик, Алина что-то нашептывала Сергею, закрывшемуся от всех журналом, а мама с Лидочкой оказались предоставлены сами себе.

— Счастливая Женя! Будет миллионершей! Сможет купить себе все, что хочет! — довольно громко прошептала Лидочка. — Я тоже хочу! Я хочу розовое платье, помнишь, в витрине? И туфли, помнишь бархатные туфли? Я тоже хочу выйти замуж и сразу всех обскакать!

— Что ты такое говоришь, девочка, — фальшивым голосом возразила мама, — тебе сейчас нужно думать об учебе...

— При чем тут вообще учеба?! Я хочу все сейчас, — шептала Лидочка, — розовое платье, туфли, я хочу все сейчас!

— Не волнуйся, Лидочка, я уверена, что ты тоже вытянешь счастливый билет, как Женя! И потом, ты теперь тоже будешь вращаться в определенном кругу, — не понижая голоса, ответила мама и раздраженно вскрикнула: — Ох! Лиза! Что же ты мне все время наступаешь на ногу? Один раз наступила, потом другой! Какая ты неловкая, Лиза, как медведь!

— Лиза, вас все время сравнивают с животными, то с овцой, то с медведем, — невинно заметил Сергей, высунувшись из-за журнала и насмешливо переводя взгляд с мамы на меня и опять на маму.

— А вы знаете, какая я сваха, — невпопад сказала мама. — За неделю женила одного нашего родственника на тети-Ириной Люде!

Сергей засмеялся — он не знал ни нашего родственника, ни тетю Иру, ни Люду. Он смеялся над мамой, и я впервые в жизни увидела маму чужими глазами — его глазами. Самый страшный, самый болезненный стыд, когда приходится стыдиться за другого! Почему мама приносит никому не нужный бульон в бидоне, почему хочет повсюду насадить свой вкус и не видит, что хай-тек не сочетается с клеенкой в горошек. Почему она позволяет Лидочке говорить глупости и громко, как о решенном деле, говорит о Женином замужестве?

Мама отошла к Алине, уселась рядом с ней на диван и, отобрав у нее пульт, сделала звук потише.

— Как ты себя чувствуешь, Алиночка? — ласково спросила она. — У тебя есть слабость? Ты должна мерить температуру каждый день в пять часов.

— Чувствую не очень, слабость есть, температура вчера была тридцать шесть и восемь, — мгновенно оживилась Алина. — Может, сейчас померить?

Мама приложила руку к ее лбу и приказала:

— Женя! Градусник!

Алина незаметно придвинулась к ней, прижалась, как котенок к внезапно найденной маме-кошке. Мама права, Алина с Вадиком нуждаются в материнской заботе, — тяжелое детство и прочее...

— Как хорошо посидеть вот так, своей семьей. Ох, как я вас полюбила, как будто вы мои родные дети, — обнимая Алину с градусником под мышкой, растроганно вздохнула мама, и на мгновение все вокруг стало так тепло и розово, словно мы и правда семья, — конечно, исключая Сергея, выглядывавшего из-за газеты с издевательской ухмылкой.

Я выпрямилась на стуле и, задрав подбородок, посмотрела на Сергея с вызовом. Я не буду краснеть, юлить и стыдиться своих родных!

Мама кажется ему шумливой, невоспитанной, бестактной... Но ведь это же моя мама!

Мама не виновата, что она в душе актриса. Она хочет всегда быть в центре внимания, нравиться, хочет, чтобы ее любили, восхищались ею. Равнодушие и безразличие для нее невыносимы. Она принесла никому не нужный бульон в бидоне, но ей и самой не нужен этот бульон! Мама хочет, чтобы на нее обратили внимание, чтобы все подумали: «Ах, какая она замечательная!»

Мама действительно позволяет Лидочке говорить глупости. Но мама не виновата — она не слышит, что Лидочка говорит глупости. У мамы есть одна черта, которая может быть неудобна для окружающих, но зато очень удобна для нее: не хочет слышать — и не слышит, не хочет видеть — и не видит, не хочет знать — и не знает. Она уверена, что Лидочка хорошо учится, примерная девочка, любимица учителей.

И мама, и Лидочка — они с мамой очень похожи — могут полностью забыть о том, чего не желaют помнить. Лидочка не помнит, что вела себя плохо, — прогуляла урок, получила двойку. «Это неправда, — говорит она, удивленно приподнимая брови. — Этого не было. Они врут». Можно было бы подумать, что врет Лидочка, но это не так, она не помнит. Лидочка всегда всей душой верит в то, что рассказывает, в какие-то непреодолимые обстоятельства вроде наводнения и пожара, которые помешали ей прийти на первый урок или вовремя вернуться домой.

Мама громко, как о решенном деле, говорила о Женином замужестве. Но она не виновата, что эмоции мешают ей подумать, что можно говорить, а что нет. Она слишком эмоциональная, к тому же выражает свои эмоции более сильно, чем на самом деле переживает. С мамой не скучно, она талантливо вживается в роль — артистично горюет, восхищается, раскаивается. Покричит на отца: «Ты испортил мне жизнь!», расплачется, а потом немного поразмыслит: «Нет, кажется, жизнь в порядке», — и посылает меня наверх с чаем...

Но никто не умеет понять другого человека, как она, — или изобразить понимание, сочувствие. Приспособиться, проникнуть в другого человека, найти подход, завоевать чье-то расположение. Можно подумать, что мама делает это там, где ей выгодно, — Сергей наверняка думает, что мама хочет выдать Женю «за богатого». Это правда, мама хочет именно этого. Но ее искренне интересует Алинина температура, ей искренне жаль «сироток»... Это невозможно понять, я знаю, но ведь в каждом человеке, кроме того, что мы понимаем, есть еще что-то!

Например, во мне — в тот момент я ненавидела Сергея за его насмешки над мамой, за то, что нельзя выглядеть таким мужественным и при этом быть приживалом, это нечестно... Но в моей ненависти было еще что-то... Любовь?

Лидочка вдруг вспомнила, что ей «очень срочно нужно в город». Непонятно, почему шататься по улицам, глазея на витрины бутиков, может быть очень срочно, но Лидочка мгновенно подхватилась и убежала.

— Нам тоже пора домой, — сказала я.

— Ничего подобного, не пора, — отозвалась мама и прошипела: — Я отсюда без предложения не уйду.

Ну а я пошла домой и взяла собак погулять на заливе. Такса и пудель упоенно бегали по воде, я сидела на бревнышке, зажмурившись от яркого солнца, и задремала, а когда я открыла глаза, надо мной стоял Сергей.

— По нечетным гуляет Исчадие Ады, а нам можно по четным, — потирая глаза, объяснила я.

Но Сергей не стал вникать в тонкости наших отношений с Исчадием Ады и предложил пройтись вдоль залива.

Сергей молча шагал рядом и вдруг сказал то ли мне, то ли себе самому:

— У меня хорошее настроение. Только что мне позвонили — произошли серьезные сдвиги.

— Сдвиги? — машинально повторила я.

— Ну да. В деле, ради которого я здесь, произошли серьезные сдвиги. Они наконец согласились на мое предложение.

— На ваше предложение? — Теперь уже я переспросила специально, желая проверить технику попугайского повторения, которую рекламировали наш родственник и Мария.

— Мое предложение по реорганизации.

— Реорганизации чего? Ваше предложение по реорганизации чего?..

— Завода и всей компании в целом. Если вам интересно, я могу рассказать, — обрадовался Сергей.

Если бы эта история происходила в сериале, я бы еще серий двадцать сладостно недоумевала, впадала в отчаяние и надеялась, но я и без того довольно долго была в сериале, в своем собственном сериале, — так что я спросила прямо, чтобы не оставалось никакой недосказанности:

— Вы занимались здесь реорганизацией завода?.. И всей компании в целом? Я хочу сказать, вы чем-то занимаетесь?.. Работаете?.. Но я была совершенно уверена, что вы ничего не делаете, а просто живете с Вадиком и Алиной...

Сергей засмеялся:

— Ваша самоуверенность вас подводит, ваше овечество. Ну, и еще неопытность, незнание жизни. У вас очень богатое воображение, Лиза, вы не пробовали сочинять?

— Я пробовала, но... Я вас обидела. Почему вы не сказали мне тогда, что это неправда? Неужели вам безразлично, что о вас думают?

Сергей пожал плечами:

— Когда вы повзрослеете, вам тоже будет безразлично, что о вас думают посторонние люди.

«Да, понятно, ему безразлично, что я о нем думаю. Что о нем думают посторонние люди».

— А карточка, а счет? — недоверчиво спросила я. Не то чтобы у меня вдруг появились сомнения — скорее мне хотелось оправдаться, что я не вздорная девчонка и у меня были основания думать о нем плохо.

— Ах, вот оно что. Вы хотите доказательств, — развеселился Сергей. — Ну, хорошо. Алина просила получить ее карточку в банке, у старой карточки закончился срок действия, и ей прислали новую. Алина дала мне доверенность на время своей болезни, я получил карточку и отдал Алине. Устраивает?

— Ну... А счет в ресторане? Почему вы сказали, чтобы Вадик заплатил по счету? А сдача? Почему вы взяли сдачу? — настаивала я. — Это вы не сможете объяснить!

— Я не помню, — подумав, пожал плечами Сергей, — нет, не помню. Зачем я мог взять сдачу?.. Наверное, вы правы, я все-таки живу за счет Вадика. Вы меня раскололи, Лиза.

Мне было стыдно, и я, сделав вид, что таксе и пуделю необходимо пробежаться, убежала с ними вперед, а когда вернулась, Сергей сказал:

— Я вспомнил. Помните, Мюллер запер Штирлица в камере и ушел, сказав ему — «вспоминайте». Штирлиц посидел, подумал и сказал — «я вспомнил». Я тоже вспомнил: в этом ресторане не принимают карточки, а у меня не было наличных денег. Поэтому я и сказал Вадику — «плати». И сдачу я забрал по той же причине — чтобы оставить на чай гардеробщику. Видите, как все просто.

— Но Штирлиц обманул Мюллера, — засмеялась я, и в этот момент у Сергея зазвонил телефон, и он, засмеявшись, сказал уже в телефон: — Я не обманываю вас, дорогой Мюллер... Да, мама, я слушаю. Уже купила билеты? И заказала столик? Хорошо, мама, я позвоню ей... Какой Мюллер? Весьма симпатичный... Нет, к сожалению, не нашего круга... Целую тебя.

Закончив разговор, Сергей что-то отметил в записной книжке и опять улыбнулся. Было понятно, что он очень любит свою маму — я никогда еще не видела его таким веселым и доброжелательным.

— Если моя мама что-то решила, ее не остановить, — любовно улыбнулся Сергей. — Теперь она решила меня женить, составила список кандидаток и назначает им свидания... У мамы на меня локатор — она догадалась, что я рядом с девушкой, и подозрительно спросила, симпатичная ли вы.

— Я слышала: «Мюллер симпатичный, но не нашего круга». Разве сейчас существует такое понятие, как «человек нашего круга»? — насмешливо спросила я. — И этот «ваш круг», конечно же, определяется деньгами... По-моему, это глупо и отвратительно!

Сергей кивнул:

— Отвратительно — возможно, но совсем не глупо. Дело ведь не в количестве денег, а в том, что за этим стоит — хорошее воспитание, образование и происхождение.

Я растерялась, я даже не представляла, что можно так по-детски жестоко игнорировать чувства, да и просто присутствие другого человека — меня. Мне даже на мгновение показалось, что меня просто нет рядом с ним, я не иду по заливу, и такса и пудель не вьются у меня под ногами, и это не я стараюсь не расплакаться, стараюсь улыбнуться.

— Ну а вы, Сергей, кто же вы — принц? — спросила я, сдержанно улыбаясь, чтобы придать дискуссии академический характер.

И тут произошло самое страшное, что только можно представить, страшное и неожиданное — Исчадие Ады. Я совсем забыла, что мое время закончилось и началось время Исчадия Ады.

Ада говорит, что благодаря бульмастифу она может быть спокойна за свое имущество. Но выведена эта порода была не для охраны имущества, а для охраны дичи от браконьеров — бульмастиф должен был догнать браконьера, повалить на землю и задержать до прихода людей. Браконьерство каралось смертной казнью, так что можно себе представить, с какой яростью браконьер сопротивлялся бульмастифу, а главное — с какой яростью бульмастиф сражался с браконьером...

Спущенный с поводка Исчадие Ады мчался вдоль берега со счастливым воем, предвкушая, как он сейчас всех съест — и меня, и пуделя, и таксу...

Бывают ситуации, трагичность которых преувеличивается участниками, но это был не тот случай. Это было мгновение, когда приходится делать выбор — продолжать жить достойно или продолжать жить. Такса совершила свой выбор, взлетев ко мне на руки, как будто была не собакой, а птицей, я сделала свой выбор, закрыв глаза и вытянув к небу руки с таксой, пудель сделал свой выбор, метнувшись в тину залива и замерев на глубине лап, — он рассчитывал на то, что Исчадие Ады не любит воду.

А у Сергея не было выбора, потому что убежать и бросить нас на произвол Исчадия Ады — это не выбор для принца из хорошей семьи, но и принять бой с Исчадием Ады тоже не выбор для разумного человека, и поэтому он растерянно стоял рядом.

Убедившись, что ему не выхватить у меня из рук таксу, Исчадие Ады ринулся в залив за пуделем, я побежала за ним, но у самого берега поскользнулась в тине и упала, держа таксу в высоко поднятых руках. Если кому-то это покажется смешным, как в цирке, предлагаю посмотреть каталог собак: Исчадие Ады — «высота в холке 61—69 см, вес 50—59 кг, короткая, плотно прилегающая шерсть покрывает тело с хорошо развитой мускулатурой, голова крупная, квадратной формы, морда короткая, широкая, к мочке носа не суживается».

Сергей спас таксу и пуделя от Исчадия Ады, как принц в сказке спасает принцессу от дракона, — зашел в воду, взял на руки пуделя, поскользнулся в тине, упал, выбросив вперед руки с пуделем. Теперь мы оба торчали из воды с воздетыми к небу руками, у каждого в руках по собаке, а между нами с рычанием сновал Исчадие Ада со свинской мордой.

И тут наконец пришло спасение — пришла Ада и взяла свою свинскую собаку на поводок.

Сергей поднялся, забрал у меня таксу и злобно побрел вдоль берега с двумя собаками на руках. А я виновато шла вслед за ним, смотрела сзади на его спину в мокрой рубашке и думала, какие у него широкие плечи, крепкие руки и... в общем, я любовалась принцем, героем, победителем Исчадия Ада.

Мы пришли к нам — Сергей мрачно сказал, что хочет убедиться в безопасности собак и доставит их домой собственноручно.

— Вы где предпочитаете сохнуть и пить чай — у себя дома или у меня? — вежливо спросила я.

В доме было тихо, как всегда в воскресенье днем. По воскресеньям, когда Лидочка в городе, Мария не выходит из их комнаты, наслаждаясь одиночеством, мама навещает соседей, ну а отец, как всегда, был у себя наверху.

Мы прошли ко мне, Сергей снял мокрую рубашку в тине, снял с меня мокрую рубашку в тине... Я много раз видела в кино, как посторонние люди после совместно пережитой опасности страстно бросаются в объятия друг к другу, и считала это эффектной придумкой режиссера. Но мы бросились друг к другу, как будто только и мечтали об этом, пока он брел по берегу, весь в тине, и я брела за ним, вся в тине...

В кино часто бывает, что после любви люди опять становятся посторонними — это уж точно режиссерский прием... во всяком случае, у нас так не было. Мы смеялись, разговаривали и были абсолютно счастливы, во всяком случае, я была абсолютно счастлива. Все думают, что любовь — это совокупность биохимических процессов в организме человека, но это не так, и только я знаю, что такое любовь, — я открыла новый закон!

— Я открыла новый закон, — сказала я и, поймав удивленный взгляд Сергея, принялась юлить: — Мне приснился сон, что я открыла новый закон.

— Сейчас приснился? — улыбнулся Сергей. — Но ты же не спишь.

— Именно что сплю, у меня так бывает, что я сплю и вижу сон наяву, — выкручивалась я. — Мне приснилось, что я стою у доски в очках и с пучком, пишу мелом формулу, потом кладу мел, отряхиваю руки и скромно жду аплодисментов.

— И что же?

— Все аплодируют. И перешептываются: «Нобелевская премия... Она открыла новый закон!..»

— А какой закон? — поинтересовался Сергей.

Никто не знает, что такое любовь, а я знаю. Я открыла закон: выбор организма + уважение = любовь.

— О-о, ну так, ничего особенного... Все процессы в системе, находящейся в состоянии равномерного и прямолинейного движения, происходят по тем же законам, что и в покоящейся системе, — скромно ответила я. Я нечаянно присвоила себе один из постулатов теории Эйнштейна — просто сказала первое, что пришло мне в голову.

Сергей посмотрел на меня странным взглядом — по-моему, ему хотелось покрутить пальцем у виска, и его удержали только хорошее воспитание, образование и происхождение.

— Лиза, а почему ты не говоришь «у меня так еще никогда не было»? — спросил Сергей.

— А что, разве так положено говорить? — удивилась я и тоненько жеманно произнесла: — У меня так еще никогда не было... На самом деле я не знаю, как было, это было никак, потому что я стеснялась и боялась. Я ничего не помню, как будто меня ударило молнией, — в этом смысле у меня так еще никогда не было.

— Какая ты честная... — улыбнулся Сергей. — Могла бы и притвориться. Девушке положено быть романтичной.

Опять звонил его телефон, и это опять была его мама. Сергей сказал мне, что у мамы никого нет, кроме него, он обязан быть идеальным сыном днем и ночью. Я удивилась — такой взрослый принц и такой маленький.

Сергей рассказывал о своей семье сдержанно, без хвастливых подробностей, но так, что было понятно — он осознает свое положение таким же незыблемым как человек, ведущий свой род от древних королей.

Сергей родился на Урале, в маленьком, никому не известном городке. Городок был неизвестен, но зато завод, при котором и вырос этот городок, был одним из самых крупных в стране. Сергей родился, когда его отец уже был директором завода, хозяином городка. Ребенком, лет до десяти, Сергей жил в советском раю: его на самолете возили на елку в Кремлевский дворец, кормили икрой, покупали невиданные игрушки. Когда наступили новые времена, отец Сергея приватизировал завод и стал королем уже в новой России. Сергей из советского рая шагнул в новый: они с мамой летали в Лондон в театр, в Бразилию на карнавал, а с отцом в Аргентину на футбол. К нему привозили учителей-англичан, боксом он занимался в собственном спортивном зале, музыкой...

— В собственной консерватории? — спросила я, и Сергей шутливо мазнул меня пальцем по носу, как будто мы сто лет знакомы.

Но Сергей не был избалованным богатым подростком — он мальчиком знал все тонкости приватизации, знал, как работает завод, отец готовил его к своему бизнесу, как наследного принца к принятию престола.

— ...А что было дальше? — спросила я, затаив дыхание, как будто он рассказывал мне сказку.

— Дальше?

Отец умер, они с мамой уже давно живут в Москве, Сергей так и остался принцем, — интеллигентная семья, хорошее воспитание и образование, деньги и презрение ко всем остальным, лишенным этих замечательных преимуществ.

— Мне иногда хочется, чтобы все в моей жизни было попроще... — заметил Сергей. — Тебе этого не понять...

— Как будто ты привык есть ножом и вилкой, а иногда хочется руками, но ты уже не можешь? — спросила я, и Сергей удивленно кивнул.

Может быть, было бы лучше, если бы Сергей оставался приживалом. Я бы любила его тихонечко, стыдясь и не давая себе воли, а теперь, когда он оказался порядочным человеком-принцем, любовь бурлила во мне, как будто открылся шлюз и хлынула вода. Этого я ему не сказала — мы все еще были посторонние люди, а посторонним такого не рассказывают.

В комнату постучались. Это был наш фирменный семейный стук — сначала один краткий «тук-тук», затем мгновенно открывается дверь, в комнату просовывается голова и радостно говорит «это я», вслед за головой в комнату вдвигается тело и спрашивает: «Можно?». Вся операция занимает секунду. Я едва успела накрыть Сергея с головой пледом.

— Ой, а что это вы тут делаете в темноте? — спросила Мария.

— Не знаешь, что ли, что люди делают в темноте? — хихикнула Лидочка. — Эй, Лиза, у тебя интим, а у нас свадьба! Слышишь, Лиза, мама сказала, у Жени свадьба, уже точно! Вот отхватила богатого, вот повезло! Теперь и нам чего-нибудь перепадет!

А я и не заметила, что прошло столько времени, уже стемнело, и Лидочка вернулась, и... ох...

— Ли-за! Что все это значит? — в дверях стояла мама. — С кем ты там, неужели с посторонним человеком?!

— Мама, я не подросток, — напомнила я на всякий случай. От ужаса я говорила ленивым уверенным голосом, как будто посторонние люди под пледом — обычная для нашей семьи ситуация.

— Ли-за! Как ты могла? — изумленно сказала мама. — У меня нет слов, чтобы описать твое поведение! Это безобразие, распущенность, позор и... что еще? Разврат, вот что! В доме твои сестры, девочки, и Женя — невеста, а ты!

— Мама, я не подросток, мне тридцать лет, — повторила я, прибавив себе девять лет.

— Кто этот человек? — настаивала мама. — Я сейчас же устрою скандал и выгоню тебя из дома, иначе он может плохо о нас подумать! Решит, что тебе все позволено! Что мы семья легкого поведения!.. С кем ты, немедленно скажи!..

Я почувствовала, как Сергей шевельнулся рядом со мной, и на всякий случай толкнула его локтем. Глупейшая ситуация — Сергей, взрослый человек, со своим образованием, воспитанием и происхождением, скрывается от мамы в темноте под пледом. Но как он мог достойно выйти из этой ситуации, то есть из-под пледа?.. У него не было выхода.

— Ну, хорошо, если не хочешь говорить, с кем ты, тогда я вообще уйду!.. — обиделась мама. — Но прежде чем уйти, я спрошу тебя: это, под пледом, серьезно или, как всегда, бесперспективные отношения? Девочки, Лидочка и Мария, быстро выйдите из комнаты!

Лидочка с Марией вышли, а мама осталась стоять в дверях, вглядываясь в темноту и словно пытаясь по очертаниям тела под пледом понять, жених ли это или «бесперспективные отношения».

— Молчишь? Тогда я сейчас уйду! — пригрозила мама. — Но прежде чем уйти, я скажу тебе нашу новость: Вадик сделал предложение! Я его спросила: «Как ты думаешь, свадьба будет в «Астории» или на острове?» Он сказал — на острове. А я думаю, лучше в «Астории». Зачем нам тратиться на билеты на остров для тети Иры и Люды?..

Такой финал может запросто убить любую романтику, правда?

Вечером вернулась Женя, счастливая, изнемогшая под грузом своего счастья. Она не могла обсуждать ни свою свадьбу, ни будущее, ничего. Это была не Женя, а ее тень, тень, которая могла только смотреть полными слез глазами и повторять: «За что мне такое счастье», «Я только одного теперь хочу — чтобы ты была так же счастлива, как я», — по этой фразе я поняла, что это все-таки ангел Женя, моя до умопомрачения влюбленная сестра.

Глава 7

В моей душе пели десять тысяч птиц, и все о любви...

Когда я засыпала, они пели, и когда проснулась, пели, и когда домработница Вадика, племянница тети Иры, принесла письмо, они пели тоже.

— Пляши, тебе письмо! — сказала тети-Ирина племянница, заглянув в комнату. Она незначащий персонаж, мелькнет и исчезнет, поэтому я не буду тратить на нее имя, просто буду называть ее Племянница.

— Мне? — хором сказали мы с Женей и одновременно начали делать какие-то танцевальные движения: я стоя на полу, а Женя лежа в постели. Мы знали, что Племянница ни за что не отдаст письмо без танцев — тети-Ирины родственники все очень упрямые, это у них семейное.

— Отдай! — Я протянула руку к конверту.

— Ах ты какая шустрая! А если это Жене письмо? — сказала Племянница. Она была очень возбуждена, наверное, ее взволновала роль Купидона, и она представляла себя пухлым шаловливым младенцем с колчаном и любовными стрелами, выстрелит — пиф-паф, и прямо в сердце, а еще выполняет мелкие любовные поручения богов — разносит по округе любовные письма и прочее.

Чтобы скрыть смущение, я покружила по комнате и подошла к окну. Шел дождь, мелкий противный дождичек, из тех, что начинаются ранним утром, и кажется, что никогда не закончатся. Племянник тети Иры, агент по недвижимости, под дождем носил к машине чемоданы. Он еще менее значимый персонаж, чем Племянница, еще быстрей промелькнет и исчезнет, поэтому я не буду тратить на него имя, просто буду называть его Племянник.

Чемоданов было шесть, четыре чемодана поместили в багажник, а два пришлось засунуть на заднее сиденье. Сергей сел за руль, рядом с ним уселась Алина, на заднем сиденье между двумя чемоданами, как будто в клетке, виднелся Вадик. Племянник, агент по недвижимости, нажал кнопку на пульте, запер калитку на дополнительный замок ключом, подергал на всякий случай, проверяя, закрыта ли калитка, засунул ключ в карман, похлопал по карману, словно говоря «тут никуда не денется», вежливо помахал рукой вслед отъехавшей машине и принялся разглядывать Дом, словно прикидывая, насколько выгодно он его продаст и можно ли это сделать немедленно.

Уехали, почему же так срочно? Тогда это письмо, без сомнения, мне: Сергей прощается со мной и объясняет причины отъезда; надеюсь, что это не какое-нибудь несчастье, а просто очень срочное дело. В этом письме — я мысленно увидела выдранную из блокнота чуть смятую страничку, второпях косо написанные строчки, — в этом письме написано, что он меня любит...

...Пожалуй, все-таки нет — взрослый человек не объясняется в любви, как мальчишка-первоклассник: «Лиза, я тебя люблу»... Хорошо, пусть не «люблу», а «позвоню» или, на худой конец, «дорогая овечка... твой принц».

195

Но если это письмо мне, что тогда Жене? Ох, какие же мы все эгоисты! Когда мне приходится признаться в чем-то неблаговидном, я всегда говорю — ох, какие же мы все... а ведь это вовсе не все, это я. А Жене... Жене Вадик просил передать на словах: «Пришлось уехать по срочному делу, люблю, целую, уже скучаю...»

Я протянула руку за письмом.

— Лиза, тебе пишут, — улыбнулась Племянница, — это Жене. Мой-то тоже, когда встречались, записки мне писал... хоть и рядом жили, не дождаться было, когда увидимся... — мечтательно сказала Племянница. — Я утром встаю, а в дверях уже записочка — «люблю». А сейчас нет, не пишет.

Это письмо Жене. Вадик, как когда-то муж Племянницы, прислал ей утреннее «люблю». Женю ждет любовь, свадьба. Может быть, и хорошо, что Вадик уехал, Жене в ее счастье нужна передышка — немного побыть без Вадика, только с нами, насладиться предвкушением свадебных хлопот, всеобщей любовью и радостью за нее. Но я? Как же я? Неужели я в следующий раз увижу Сергея на Жениной свадьбе в «Астории» в смокинге или в набедренной повязке на необитаемом острове?

— Женя, пляши! — сказала Племянница.

Женя под одеялом изобразила бурный танец, но Племянница покачала головой — не отдам, и Женя встала на кровати, завернутая в одеяло, замерла на секунду и вдруг отбросила одеяло, оставшись в длинной ночной рубашке в цветочек, и принялась скакать, раскинув руки, с развевающимися спутанными со сна золотыми волосами. Она скакала на постели, изгибалась, улыбалась, была такая же розовая и золотая, как всегда, и совсем другая, не как всегда, — за ее вечной безмятежностью впервые появился какой-то соблазн, впервые в жизни моя сестра была похожа не на ангела, а на счастливую ведьму... Как тихий Вадик сумел разбудить в тихой Жене такую любовь?! Вспомните, как Женя говорила: «Если ты замужем, значит, тебя уже выбрали», — ее уже выбрали, вот она и расцвела, как яблонька, застенчивая, нежно-уверенная, томная и, откуда ни возьмись, страстная... Ладно уж, она такая красивая и влюбленная, пусть письмо будет ей...

Женя вскрыла конверт и вынула из конверта деньги. Деньги? Держала пачку денег в руке и смотрела на них непонимающими глазами.

— Почему деньги? Зачем мне деньги?

— Они уехали, — объяснила Племянница с важным видом Купидона, прижавшегося к чужой любви.

— Уехали?.. Уехали, — повторила Женя. — Но зачем Вадик оставил мне деньги? Это неловко, мы же еще не муж и жена...

— Они совсем уехали. Отдали ключи, чтобы за Домом смотрели, и уехали, — пояснила Племянница, глаза ее горели от возбуждения, и она даже как-то подпрыгивала на месте.

Женя потрясла конверт, чтобы оттуда вывалилась записка, но конверт был пуст.

— Они оставили тебе деньги за то, что ты с ними сидела, ухаживала как медсестра. Алина так сказала. Сколько они тебе заплатили? Сколько стоят частные услуги медсестры? — деловито спросила Племянница. — Ты сексуальных услуг не оказывала?.. Ну, знаешь, как пишут в объявлениях: «Интим не предлагать». Если с интимом, то дороже, с интимом совсем другая цена. У тебя-то как было — с интимом или без?

— Пошла вон, пошла вон! — закричала я. Неужели ей приятно, когда другому больно, как дурному ребёнку, мучающему кошку, или она просто нетактичная, эта Племянница, или дать ей полотенцем?..

Племянница с притворным сочувствием на лице, бормоча: «Эти богатые — они такие, бросили девочку, как ненужную тряпку...» — выкатилась вон.

...Сколько стоят частные услуги медсестры — измерять температуру, мазать пузырьки зеленкой и дуть, чтобы не было больно? Мы сидели рядом на краю Жениной кровати, как две птички на жёрдочке, и молчали, и у меня не было ни одной мысли. Недоумение, обида, боль — ничего этого я не чувствовала, зато я была вся полна физиологическими ощущениями: внутри у меня всё дрожало, меня попеременно знобило, бросало в жар и тошнило, и только через некоторое время — теперь уже невозможно сказать, минута прошла или час, — ко мне вернулась способность рассуждать.

Любовь и дружба длились ровно двадцать один день — период ветрянки. Мы остались за забором,

198

влюбленные и брошенные: Женя, брошенный ангел, и я, брошенная овца... Будничность, отсутствие всякой театральности: дождик за окном, сгорбившаяся на кровати Женя в ночной рубашке в цветочек, пачка денег на постели — подчеркивали окончательность всего происходящего, финал нашего кино «Любовь и дружба», как будто кто-то большими буквами написал «КОНЕЦ».

Что нам сейчас нужно — валокордин, пустырник, снотворное, заснуть и проснуться через неделю, через месяц, через год, когда боль утихнет?.. Если бы в руках у меня было ружье, я бы выстрелила, выстрелила бы пулей с солью — одну пулю Вадику, другую Сергею, третью Алине.

— Лиза, мне нужно вернуться на работу, в поликлинику, — ровным голосом сказала Женя. Она взяла деньги, аккуратно выровняла пачку, встала, подошла к окну, не взглянув на Дом, задернула занавеску и убрала деньги в ящик шкафа, где хранилось ее белье. Движения ее были медленными и неуверенными, словно она была плохо смазанным Железным дровосеком с плачущим сердцем, бедным железным человечком, заржавевшим от пролитых слез.

Я сидела на кровати, смотрела на Женю, а думала не о ней, а о том, «что скажут люди», — в точности, как мама. Я думала — теперь все узнают. Все будут знать, что Жене заплатили. Все будут знать, станут перешептываться, показывая на Женю, смеяться, говорить: «Вот она идет, наша дурочка, вообразила, что она из Золушек прямиком в принцессы...» Все будут думать, что жалеют Женю, но эта жалость будет двойной — жалость пополам со злорадством, или жалость, сдобренная радостью, что с ними такого не случилось. И никому, ни одному человеку не придет в голову, что Женя не виновата ни в глупости, ни в корысти, потому что никому не нужна правда, а нужно, чтобы было «интересно».

Но нам и самим не нужна правда, а нужно, чтобы было «прилично»? Может быть, в нашем горе столько же горя, сколько стыда перед людьми?.. Никто не знает, что я тоже пострадала в этой двойной любовной истории, и я ни за что не признаюсь никому, даже Жене. Не хочу, чтобы Женя меня жалела, страдала за себя и за меня, не хочу, чтобы мы с ней были похожи на лису Алису и кота Базилио — ковыляют, поддерживая друг друга, одна с перевязанной лапой, другой с подвязанной щекой.

Неужели я — как мама, тщеславная, нервная, самолюбивая? И только Женя живет в мире, полном чистых чувств, без примеси тщеславия, у нее радость — так радость, горе — так горе. Женю так просто смутить, так легко ранить, она трепещет от малейшей обиды, полна неуверенности и страхов, но выходит, что Женя — сильнее?..

— Лиза, я пойду к маме, — сказала Женя. — Мама так волновалась за меня, так радовалась, она должна первая узнать обо всем. Я ни минуты не могу ее обманывать... Бедная мама.

— О, нет, — с невольным испугом сказала я.

— О, да, — сказала Женя, и мы рассмеялись.

...Бедная мама... это я иронически. Страшно представить, как «бедная мама» измучает Женю за предательство, которое совершила не она, как вцепится в нее когтями, словно кошка в мышонка, как будет горестно повторять: «Что же ты сделала не так?»

Мама молчала и ласково смотрела на меня — возможно, это была шоковая реакция.

— Мама, Вадик уехал, свадьбы не будет, Женя просит никогда не говорить о нем плохо, — размеренно перечислила я. Я повторяла эту фразу уже в третий раз. — Мама, Вадик уехал, свадьбы не будет.

— Будет, — шепотом возразила мама.

— Свадьбы не будет, Вадик уехал, — повторила я, и мама вдруг закрыла глаза и, покачав головой, как ребенок, тоненько сказала:

— Нет-нет-нет!

— Мама, подойди к окну, посмотри — Дом заперт, ставни закрыты. Вадик уехал, свадьбы не будет.

— Да-да-да... Господи, стыд-то какой... — Не взглянув в окно, мама покивала головой и жалобно предложила: — А давайте всем скажем, что он уехал в командировку... в Африку на год... А там как-нибудь образуется, все про нас забудут. Ведь еще никто не знает...

— Знают, — значительно сказала тетя Ира.

Мы ее не приглашали, а она уже тут, с лицом, готовым к сочувствию, и валокордином. Мама улыбалась нервно, Женя улыбалась испуганно, а тетя Ира пыталась напоить обеих валокордином, — в руках у нее были две рюмки, и она протягивала рюмки, как будто предлагая им чокнуться.

— Знают, — горестно повторила мама. — Все?

Тетя Ира кивнула:

— Все.

В задачнике Перельмана «Занимательная математика», по которому я в детстве решала задачи, говорится: если нескольким людям известен секрет и каждый из них сообщит его трем разным людям, а каждый из них в свою очередь расскажет еще троим, то через три дня секрет будет знать огромный город. Это геометрическая прогрессия. Но у нас в Лисьем Носу геометрическая прогрессия не работает — тетя Ира узнала наш секрет в тот же момент, когда и мы, а все остальные через час.

— Вадик уехал, свадьбы не будет. Но я все равно его люблю и никогда не разлюблю, и у меня будет от него ребенок, — шепотом сказала Женя.

На ее лице было выражение упрямого ангела — глаза прозрачные, губы плотно сжаты, по щеке ползет слеза. Женя, такая всегда «рева-корова», в детстве отец предлагал ей плакать в бутылочку, уверяя ее, что за бутылочку слез ей дадут слона в зоопарке, — а сейчас всего одна слеза. Пролила бесконечные потоки слез, когда заболевший ветрянкой Вадик не звонил ей несколько дней, а сейчас ни обвинений, ни рыданий, ни страха перед будущим или мамой, — всего одна слеза. Плачет, одновременно улыбается туманной улыбкой, как будто видит перед собой что-то высокое и прекрасное, — наверное, это беременность действует так благотворно.

— Ах, вот оно что... А Вадик что об этом думает? — деловито спросила тетя Ира с глазами огромными, как блюдца.

— Не знаю. Не нужно говорить об этом, пожалуйста, — прохладно ответила Женя, но тетю Иру такие пустяки не останавливают.

— Вадик знает?!

Женя покачала головой, и я тоже покачала головой вслед за ней. Вадик не знает, что у него будет ребенок, — но зачем ему знать, ведь ребенок будет не у него, а у нас.

— Почему не сказала?

— Зачем? Мне достаточно, что я сама знаю. Значит, ему пока это не нужно. — В голосе всегда мягкой Жени прозвучал вызов, как будто только она знает, что такое любовь, а мы с мамой и тетей Ирой нет. Дружбу знаем, приятельство знаем, уважение знаем, а любовь — нет.

— Да-да, что бы вы ни говорили, у меня будет от него ребенок... — прошептала Женя.

— Я понимаю, Женечка, не кричи, — отозвалась мама. — Ребенок — это хорошо, дети — это счастье. У меня четверо детей, и это самое большое счастье в моей жизни, и ваш отец, конечно, тоже. Он тоже самое большое счастье в моей жизни... Ребенок? Какой ребенок?!

Женя была-была и вдруг будто растворилась — убежала наверх или в сад.

— Женя беременна, — объяснила тетя Ира.

— Ты говоришь, Женя беременна... — улыбнулась мама. — Ну, это просто ерунда, и все! Я не разрешу ей рожать.

— Ты хочешь, чтобы она сделала аборт? — кротко спросила тетя Ира.

— Ну вот еще, глупости! Я не разрешу ей делать аборт.

— Что же ей тогда делать? — невинно улыбнулась тетя Ира, и мама пробормотала горестным эхом:

— Действительно, что же ей тогда делать?.. — Мама выпила валокордин из обеих рюмок, своей и Жениной. — Свадьбы не будет, Вадик уехал, Женя беременна, — и это после всего, что между нами было... — шептала она.

Я думала, мама имеет в виду — после всего, что было между ней и Вадиком, но тетя Ира поняла это по-другому, — после всего, что было между мамой и тетей Ирой.

— Да, между нами кое-что было! Вспомни, что ты мне говорила? — напомнила тетя Ира. — Что, если бы твоя дочь родила без мужа, как моя бедная девочка, ты бы умерла... Ты говорила, говорила!.. А я тебе на это ответила — такое может произойти с каждым. И кто оказался прав?

Известие о Жениной беременности решительно меняло ситуацию в маминой — тети-Ириной дружбе-войне — это было не временное мамино отступление, а тети-Ирина полная победа по всем фронтам. От полного благополучия и имиджа самой удачливой матери на свете мама мгновенно скатилась к полному ничтожеству: брошенная беременная Женя, незамужняя я, и на фоне наших несчастий — удачливая Люда, замужем за моим женихом, будущая владелица нашего дома, завтра же сможет выгнать маму на улицу...

Мама, бедная мама! Сейчас, когда разрушились мамины такие уже близкие к счастливому воплощению мечты, когда ей придется вынести очень для нее болезненное сочувствие тети Иры, она имела право быть любой — жалкой и разъяренной, имела право кричать, плакать, сетовать на несправедливость жизни, хныкать и жаловаться... Имела право на глупости — просить отца догнать и убить соблазнителя, запереться у себя с мокрым полотенцем на голове, бормоча: «Какой позор, моя дочь, как горничная, забеременела от молодого барина..» Но мама — неожиданная женщина.

Мама не стала мелочиться и отступать понемногу, а сразу же сдалась, но сдалась величественно — мама встала, заплакала, сделала несколько шагов и припала к тети-Ириной груди.

— Ты была права, а я виновата... Прости меня, у нас такая беда, — плача, сказала мама, и вот чудо: тетя Ира мгновенно расползлась лицом и заплакала вместе с ней, и в этом не было ни тени их с мамой обычного, чуть завуалированного злорадства, а только безоглядное сочувствие, горячее, как огонь.

205

Мама — гений-психолог. Отступить так размашисто, сдаться так безоговорочно и красиво — значит победить.

Всем известно, что в человеке соседствуют великое и смешное, но особенно они сегодня соседствовали в маме.

Пришла Женя, но мы больше ни о чем не говорили. Женя обнимала маму и плакала, мама обнимала Женю и плакала, тетя Ира обнимала их обеих сверху и плакала, и я настолько поддалась общему отчаянию, что тоже заплакала. Мы уже наплакали не одну бутылочку, а целую батарею бутылок, за которую мы смогли бы получить всех слонов из зоопарка, и Женя, наконец, оторвавшись от мамы и тети Иры, пролепетала:

— Что же теперь делать?!

— Что делать? Пить соки, спать, гулять, слушать хорошую классическую музыку вроде Пугачевой. Я прямо сейчас выжму яблочный сок. Яблоки нужны зеленые, — будничным голосом сказала мама. — Лиза — в магазин!

Женя посмотрела на нее изумленно и убежала, а я пошла в магазин.

Я была благодарна маме за то, что она не произнесла классические слова «рожай, мы поможем», как добрый рабочий в кино. Тогда Женя должна была бы благодарно смотреть на маму снизу вверх, а так она могла сразу убежать и чувствовать себя человеком в саду или наверху.

Если моя дочь когда-нибудь придет и скажет: «У меня будет ребенок», я тоже не стану произносить пафосные слова, а просто скажу: «Ах ты маленькая дрянь, сейчас я выжму тебе яблочный сок».

Мне все время казалось, что я могу быть чем-то полезной, но я не понимала, чем. Когда меня послали за яблоками, я обрадовалась и даже съездила за зелеными яблоками в город, хотя они продавались в магазине у станции. Лучше искать самые зеленые яблоки, чем сидеть дома, страдать за Женю и за себя, перебирать свои мысли, как нанизанные на нитку бусы, — вот грустная мысль, а вот злая, а вот еще одна, печальная...

Когда я вернулась домой с двумя пакетами зеленых яблок, я увидела идиллическую картину: вся семья вместе — мама, Мария, Лидочка, и даже отец, против обыкновения, был внизу.

Девочки были притихшие и возбужденные, как каша на маленьком огне: не выкипает, но тихонько бурлит. Мария с видом человека, делающего семейное дело первостепенной важности, распечатывала из Интернета способы обучения младенцев в утробе матери, Лидочка делала уроки, время от времени выбегала из комнаты и, почти не прячась, курила за окном. На ее лице было написано: чего уж теперь придавать значение мелочам, когда в доме происходит такое, все запреты отходят на задний план...

Мама жгла в печке свадебные журналы, отец с кротким видом перебирал старые детские книжки, раскладывая их на две стопки: в одну те, которые пригодятся Жениному ребенку прямо сейчас, в другую книжки, которые Женин ребенок будет читать попозже. Отец не выглядел потрясенным, разве что больше, чем обыкновенно, задумчивым, но когда я заметила, что в первую стопку книг для младенца вместе со сказками попала «Критика чистого разума» Канта, я поняла, что отец очень расстроен.

— Даже я не читала в год Канта, — заметила Мария. — Но с другой стороны, про Жениного ребенка мы пока ничего не знаем, может быть, он будет гений.

— Гений? Мальчик? — заинтересованно спросил отец.

— Конечно, у нас будет мальчик, — энергично ответила мама.

Она бросала в печку свадебные журналы, один за другим.

— Вот и прекрасно! — приговаривала она. — Вот и хорошо! А нам и не надо! Не надо! Нам! Мезальянса не надо нам! Какой-то нефтемагнат! Человек не нашего круга!.. У нас дедушка — ученый, а у них кто?!

— У кого дедушка ученый? — удивился отец.

— У Жениного ребенка, — объяснила мама. — Ты — дедушка.

— Чей дедушка? — удивился отец.

— Мой. Ты — мой дедушка, — ехидно ответила мама.

Если мама ехидничает, значит, все не так страшно. Не страшно, а наоборот, прекрасно, радостно.

Лидочка с Марией весь вечер перешептывались, так взволнованно, что я почти все слышала.

— Вместо Дома, и богатства, и платьев, и путешествий, и всего — мать-одиночка! Так проколоться! — сокрушалась Лидочка. — Тетя Ира говорит, такое с каждой может случиться. Что, даже со мной?!

— С тобой не может ничего случиться, ты эгоистка. Ты всегда думаешь только о своей дорогой особе, — отвечала Мария.

— Ну и что здесь плохого? Если бы Женя думала о себе, она бы предохранялась... Нужно было предохраняться! Могла бы использовать прерванный половой акт, — важно сказала Лидочка.

— Вот и нет, вот и нет! Это заблуждение — так нельзя предохраняться. Сперматозоиды за короткий период способны совершить путь в десятки сантиметров... — возразила Мария.

— Ты-то что в этом понимаешь? Ты еще скажи, что беременность наступает от орального секса!

— Ничего подобного, — обиделась Мария, — беременность не может наступить от куннилингуса!

— Куни... чего?

— Орального секса, дурочка! Я-то, в отличие от тебя, все знаю — и про куннилингус, и про петтинг...

— Ох, ох... зачем мне знать твои дурацкие слова, — дразнила Лидочка. — Зато я, в отличие от тебя...

Лидочка прошептала что-то Марии на ухо, и мне не удалось расслышать — что Лидочка, в отличие от Марии?!

Слава богу, этот бесконечный день клонился к концу. Все улыбались, старались быть особенно предупредительными друг к другу, и мама даже завела речь о том, чтобы испечь «Наполеон», но атмосфера была странная — как будто в семье большая неприятность, но друг перед другом все делают вид, что это не неприятность, а неожиданно свалившееся на нас счастье.

...Женя в общем ликовании не участвовала. Приговаривая: «Мама так ко мне добра», отставила в сторону принесенный мной сок, виновато сказала: «Меня подташнивает».

Мама болталась у нее под дверью.

— Можно к ней? — шепотом спросила она.

«Можно» — это что-то новое в нашем обиходе. Мне давно нужно было забеременеть, тогда бы мама не врывалась ко мне без стука.

— Хочет побыть одна, ее тошнит, — объяснила я.

— Токсикоз? — сладко выдохнула мама.

Свет в нашей комнате не горел, Женя спала, закрывшись с головой одеялом, но как только я вошла в комнату, из-под одеяла послышался несонный голос:

— Лиза, Лиза, у него никого нет, кроме меня... Как он будет жить? Я только об этом думаю, как он будет жить, совершенно один на свете...

— Глупости, какие глупости ты говоришь! — возмутилась я. — У него есть я, мама, папа, девочки! Вовсе не у каждого человека так много близких родственников!

— Нет-нет, — не слушая меня, горестно повторила Женя, — его никто не понимает, он сейчас совсем один со своими мыслями, чувствами...

...Я не хотела называть Жениного младенца «зародыш», это звучало как-то невежливо и физиологично, да и как можно называть человека «зародыш», если его уже ждет «Критика чистого разума» Канта? Но почему Женя уверена, что младенец, которому всего несколько недель от зачатия, думает? И что все мысли этого младенца о том, что никто его не понимает?

— Женечка... Что это с тобой, токсикоз, так рано? — осторожно начала я и вдруг поняла, что у нее не токсикоз. Это был не токсикоз, а идиотизм — Женя говорила о Вадике.

— Ему только со мной хорошо, спокойно, как будто мы всю жизнь вместе, как половинки, — доверчиво сказала Женя. Она так светло улыбалась, как будто впереди ее ждала любовь, как будто не было запертого Дома, пачки денег на кровати, ненужной беременности!.. Глупый ангел!

Наверное, ангелы не отличаются самым большим интеллектом на свете. Наверное, умные — черти, а ангелы глуповатые. Но как говорит мама, всякой глупости есть предел! Чем больше Женя станет лелеять свои чувства, тем хуже для нее и для нашего ребенка. Иногда ангелов необходимо ударить по башке, чтобы они пришли в себя.

— Я не желаю больше слушать этот влюбленный лепет! Не смей говорить мне про половинки! — строго сказала я. — Одна половинка заперла ставни и уехала навсегда, не попрощавшись с другой! Разве предательства, презрения, пренебрежения и еще ста тысяч разных «пре»... недостаточно, чтобы разлюбить?! Да как ты можешь, Женя?! Неужели у тебя совсем нет самолюбия, гордости?

— Есть, — неуверенно сказала Женя, — у меня есть самолюбие и гордость. Но ты не знаешь главного, а я знаю... Я совершенно точно знаю, что у него была причина так поступить...

— Была причина? Какая? — быстро спросила я.

— А вот этого я не знаю, — потупилась Женя.

...Сколько бы раз я уже ни называла Женю ангелом, пожалуйста, представьте себе еще раз: золотоволосая, розовая, нежная, тоненькая такая, что невозможно предположить, что где-то в ее глубине угнездился этот... будущий читатель Канта. Женю можно любить и нельзя ругать, воспитывать, навязывать свои представления о мире.

— Ну, хорошо, говори о половинках, — сдалась я, — говори, о чем хочешь.

Женя хотела — о Вадике.

...Вадик любит, Вадик не любит, Вадику нравится, Вадику не нравится... Вадик ненавидит математику, ненавидит экономику, ненавидит финансы и кредиты. Не хочет учиться в Лондонской школе экономики, не сдал экзамены, не хочет жить в Лондоне... Из этого потока слов вырисовывалась картина, в которой Вадик представал не безупречным удачником, как это казалось со стороны, а маленьким несчастным мальчиком.

— Он не может во всем этом признаться отцу, — сказала Женя, — считает, что для отца это будет крах. Мне отца Вадика тоже очень жалко... Ты подумай, это и правда крах — отец хочет передать сыну бизнес, а сыну этот бизнес не нужен...

— Пусть передаст Алине, — предложила я.

— Алина слабенькая, — возразила Женя, — ей не нужен бизнес. Ей нужно вырезать гланды, она чуть что простужается, от любого ветерка, от кондиционера в машине... Мне ее очень жалко...

Я больше не хотела разговаривать о Вадике, я вообще больше не хотела разговаривать.

— Я сплю, — сказала я и, отвернувшись от Жени, демонстративно засопела.

Через несколько минут раздался еле слышный шепот:

— Лиза... Ты спишь, Лиза?.. Лиза, а ты получаешь удовольствие от секса?.. Я — нет. Я во время этого только радовалась, что он меня любит, а я сама ничего не чувствовала. Лиза, а может быть, все эти разговоры о сексе, как будто это самое главное, техники, которые описывают в глянцевых журналах, — может быть, все это притворство? Как будто все договорились считать, что так нужно — девушке получать удовольствие? ...Хорошо, что ты спишь, Лиза, а то бы мне утром было стыдно, что я об этом заговорила...

Я вся была полна злостью, и эта злость распространялась на Женю — брошенная, оскорбленная, беременная, и рассуждает о сексе — нашла время!..

— Женя?.. Беременным секс не нужен.

— Ты что? Это предрассудки. — Женя приподнялась на локте. — Говорю тебе как медицинский работник: беременным секс не противопоказан, разве что в последний месяц беременности лучше соблюдать осторожность.

— Если бы не твое положение, Женя, я бы тебе все сказала! — воскликнула я. — Ты... Тебе всех жалко! Вадик не хочет учиться в Лондонской школе экономики, не хочет изучать математику?! Как может нормальный человек не хотеть математику, чего же он тогда хочет, этот избалованный мальчик, — бездельничать?! И почему его нужно жалеть?! Ах, ты его любишь? Но ведь он не просто тебя бросил — он тебя оскорбил! Вчера он сделал тебе предложение, а сегодня он тебе заплатил! Он тебе заплатил, Женя!.. Разве эти деньги в оплату медицинских и интимных услуг — недостаточно горькое лекарство от любви?! Но... ты же беременна, Женя, и я не могу так с тобой разговаривать... Ох, прости, я тебе, кажется, уже все сказала...

— Ничего, не извиняйся, — задумчиво отозвалась Женя, — я же не беременна...

— Как это? — удивилась я. — Ты беременна!

Женя состроила смешную гримаску, как будто она удивляется, извиняется и ничего не понимает.

— Ты же сказала, что у тебя будет ребенок, — растерялась я. — Ты это сказала или нет?! Что мы целый день обсуждали? Кому зеленые яблоки, кому сок, кому детские книжки?

Женя опять состроила удивленно-извиняющуюся гримаску.

— Ты с ума сошла? — устало сказала я. — Я приглашу к тебе психиатра — мне кажется, тебе нужна квалифицированная помощь. Представлю его как просто гостя, и пусть он незаметно спросит у тебя, какое сегодня число. По-моему, ты не ответишь.

— Я сказала... — Женя смотрела на меня непонимающими глазами и вдруг засмеялась. — Я сказала, что я все равно его люблю и у меня все равно будет от него ребенок... когда-нибудь, понимаешь? Я уверена, я знаю: когда такая любовь, половинки обязательно встретятся...

— Ох, только не это! Не нужно больше про половинки! — быстро сказала я.

Странно, но я не испытывала ни облегчения, ни радости, скорее, досаду, что все это — зеленые яблоки, детские книжки — оказалось комедией ошибок и читатель Канта не появится на свет. А я уже к нему привыкла...

Дождавшись, когда Женя уснет, я выскользнула из комнаты и спустилась вниз — обычно я не курю, но сейчас это было именно то, что мне нужно, — посидеть одной в темной комнате, у печки, с сигаретой.

Но в нашем доме никогда не удается побыть одной — в темной комнате, у печки, с сигаретой сидел отец.

Я хотела войти в комнату, как будто я сюрприз, — с радостными словами: «А вот и я, все в порядке, Женя не беременна», но остановилась, услышав голос отца.

— Девочки всегда жили по твоим правилам, и вот результат: ты испортила им жизнь, — сказал отец. — Женя из тех, кто, раз полюбив, будет всю жизнь верен своей любви. Она поглощена ребенком, всегда будет одна. И все это — твоих рук дело. Ты не можешь не устраивать, не интриговать. Теперь ты довольна?

— Я? Довольна? Как ты можешь так говорить со мной сейчас? — недоуменно сказала мама. — Это нечестно — пользоваться Женечкиным несчастьем, чтобы сделать мне больно! Я же хочу как лучше. Я же не для себя, я для девочек... — Мама вздохнула глубоко и горестно, как ребенок.

— Девочки, девочки... но где же мы у себя? Где я у себя?.. — сказал отец. — Я не хочу выкинуть в корзину свою единственную жизнь. Я больше не могу... Я тоже всегда жил по твоим правилам. И теперь понимаю, что совершенно неудовлетворен жизнью.

Он именно так и сказал! И это показалось мне настолько странным, таким невероятным, как будто обвалился потолок... нет, пожалуй, не настолько невероятным. Когда в прошлом году обвалился потолок в кухне, я нисколько не удивилась, там уже давно пора было делать ремонт. Но все же я удивилась — я никогда не думала, что отец может говорить с мамой всерьез.

— Ты неудовлетворен жизнью? — тихо переспросила мама. — Ты? А я? Я одна с детьми, я одинока как человек и как женщина, так теперь у тебя еще кризис среднего возраста... Это нечестно — сваливать на меня свой кризис среднего возраста! Но я все равно тебя люблю.

— Оставь меня и девочек в покое. Оставь нас всех в покое, — отец сказал это так тихо, что я с трудом расслышала.

Я хотела обрадовать их, сказав: «Все в порядке, Женя не беременна», а вместо этого засунула голову в комнату и тоненько сказала:

— Как вам не стыдно ссориться, вы что думаете, вы молодые? Вы уже бабушка и дедушка...

Сначала я думала, что несчастье — Сергей уехал. Потом я думала, несчастье — это беременная Женя. Потом отец сказал: «Не хочу выкинуть в корзину свою единственную жизнь, больше не могу». Оказалось, что несчастья, как матрешки, вылезают одно за другим... Отец сказал: «Не хочу выкинуть в корзину свою единственную жизнь, больше не могу...»? Но ведь сказанное в ночном разговоре не обязательно окажется правдой днем?..

Вам никогда не приходилось удивляться, почему эти люди, родители, оказались вашими родителями?

В раннем детстве я любила все игрушки разобрать на детали. Волчок, домик, куклу — как ножки и ручки прикрепляются к телу. Жене было важно целое, чтобы куклу убаюкать и накормить, а мне было интересно разобрать, посмотреть, как оно там на самом деле устроено. Так что я уже давным-давно разобрала брак родителей.

Мама с отцом всегда делились на «верх» и «низ», мы с мамой внизу, отец наверху, и это казалось мне само собой разумеющимся.

Отец — дворянин, он не теперь вдруг стал дворянином, когда это модно, а был всегда. Его семья жила в большой квартире на Петроградской. Квартира становилась коммунальной по мере замены репрессированных членов отцовской семьи на новоселов, большей частью из деревень.

Одни из новоселов были мамины родные. Мамина родня — городские в первом поколении, те, что чистые деревенские понятия потеряли, а новых, интеллигентских, не приобрели.

В конце концов у отца осталась комната и у мамы комната. Мама была очень хорошенькая и довольно властная, — она, я уверена, просто велела ему на себе жениться. А отец оказался не единственным мужчиной в мире, который за хорошеньким личиком и живыми манерами не разглядел, что мама не слишком ему подходит. Но отец очень скоро «разобрал» маму и, не увидев ничего интересного, не стал собирать, а так и жил с ней, несобранной, «умный муж» с «глупой женой».

Мама не «глупая», она глупая для отца. Наверное, с каким-нибудь другим, простым человеком мама была бы счастливей, а жизнь с отцом, таким ускользающим, рассеянно любезным и внешне покорным ее прихотям, только помогла ей развить природную властность. Так что мама тоже пострадала: все в доме шло по ее правилам, вот только отец никогда ей по-настоящему не принадлежал, а ведь это трудно — любить то, что тебе не принадлежит, не является твоей собственностью.

Но отец не мог бы принадлежать никому, он сам по себе. Мама говорит, что он тяжелый человек, но его просто нужно понять, и все! Только понять — незаметно. Чтобы он не понял, что ему оказывают какое-то внимание. Отец никогда никому не открывается, только иногда приоткрывается, как будто занавес на мгновение приподнимается над сценой и тут же падает. Там, за занавесом, у отца протекает своя, очень интересная жизнь, поэтому он относится снисходительно ко всему, что — суета. А мама на него обижается...

Мама обижается, что он не хочет участвовать в нашей жизни, обсуждать с девочками наряды и мальчиков, дружить с тетей Ирой. Мама думает, что это связано именно с ней, что он не хочет ей назло. Мама говорит: «Ваш отец ведет себя как чужой человек». Мама сердится, что он почти не разговаривает с Лидочкой, обижает ее своими шутками, и это

219

правда, отец бывает бестактным, но не со зла, — просто он ее не понимает. Мама умеет всех понять, а отец часто не понимает, что человек чувствует, не может разделить чужое волнение, не понимает, когда нужно пожалеть. Она — всем близкая, а отец всем немного чужой. Мама говорит ему с упреком: «Ты что, не понимаешь?» — и он честно отвечает: «Нет».

Но я точно знаю, что иногда отцу хочется принять участие в простой, обыкновенной жизни, и он пытается, но выходит неуклюже, и он смотрит беспомощным взглядом «я не знаю, о чем говорить» и опять уходит в себя. Отец сам иногда страдает от своей замкнутости, он и хочет быть одиноким, и ему — одиноко.

Отец вообще самый противоречивый человек на свете! Люди думают, что он холодный, равнодушный человек, а он очень чувствительный и тонкий. Мама считает, что он упрямый, но я всегда могу уговорить его, убедить, только нужно иметь терпение.

Мама говорит, что его поступки не поддаются логике, что их нельзя объяснить или предвидеть, что он поступает «как черт на душу положит». Это правда, отец очень умный, но иногда поступает странно, на первый взгляд нелогично. Но это же очень просто объяснить! Если человек не раскрывает свои мысли и чувства, если ход его мыслей и чувств остался от всех скрытым, то, конечно, его поступки покажутся непонятными!

Думать о родителях — совершено подростковое занятие, взрослый человек вроде меня понимает, что родители такие, какие есть, и любит их такими, какие они есть.

Думать о своей несчастной любви — тоже подростковое занятие. Взрослый человек вроде меня понимает, что несчастная любовь как цветок: ты протягиваешь цветок, а тебе отвечают: «Не надо!» Я не стану бегать за Сергеем со своим цветком и упрашивать: «Ну, пожалуйста, возьми!»

Я лежала без сна и думала то о родителях, то о Жене, то о себе. Что же, в нашем доме сегодня ночью все несчастливы и страдают от безответной любви — мама, Женя, я?

Глава 8
Фанты

С отъезда Сергея прошло немногим больше месяца. Я защитила диплом, и на защите мне аплодировали! Когда я рассказывала про механизмы трансформации энергии в экстремальных гравитационных и магнитных полях!

Дома все выглядели почти прежними. По некоторым признакам я понимала, что все они немного притворяются. Но ведь я и сама притворялась — не замечала, что Женя почти спокойная и безмятежная, мама почти бодрая, а отец еще больше, чем всегда, погружен в себя. Мама была с ним то холодна, то капризна, как будто у них какой-то сложный роман. Все вокруг казалось мне каким-то приглушенным, как будто вокруг меня убавили звук и размазали краски, и я жила тихо и душно, словно накрывшись с головой верблюжьим одеялом. Но если старательно притворяться, что все хорошо, все когда-нибудь станет хорошо?

Неразделенная любовь означает, что вся любовь досталась мне. Я скучала, я хотела его видеть, я его любила, а он меня нет. От скуки и маяты я попробовала поискать поддержку в Интернете — в Интернете обретаются сонмы одиноких душ, так почему бы среди них не найтись душе, страдающей от неразделенной любви, душе, которая поделится своим опытом? Идея найти соратников по несчастной любви была очень странной для меня — мама всегда упрекала меня в том, что я слишком отдельная, слишком индивидуалистка, и вдруг я обратилась к чужому опыту — как будто в общество анонимных алкоголиков, где люди поддерживают друг друга.

В Интернете всегда найдешь то, что ищешь, и, отбросив в сторону те души, которые желали только нетрадиционного секса или только секса, я обнаружила множество людей, страдающих от неразделенной любви, и вступила с ними в дружеские отношения. Но ни одна душа не знала ответа на вопрос — как забыть, не думать, не тосковать, не злиться на него и на себя.

Барышень, страдающих от любовной тоски, в романах посылают на воды. На водах барышни встречаются с родственниками и друзьями, у них возникают новые интересы, завязываются знакомства. Вот и я послала себя на воды — поехала в Москву.

Как я люблю приезжать в Москву! Когда выходишь в Москве на перрон, играет бравурная музыка, и от этого кажется, что ты не чужой, что Москва приветствует именно тебя! Ленинградский вокзал в Москве в точности такой же, как Московский вокзал в Питере, и от этого возникает приятное чувство, будто ты оказался в зеркальном мире.

Мой родственник Игорь встречал меня под часами.

— Приветствую тебя в столице от своего имени! — сказал Игорь. — Супруга, хранительница, так сказать, очага, ждет дома с ужином.

Мы ехали на метро, потом на автобусе. Игорь сказал, что из-за пробок на машине дорога из центра домой получилась бы почти такой же долгой, как из Питера в Москву. Москва такая огромная и веселая, что всегда чувствуешь себя немного провинциалом.

— Ой, Лиза! Я так рада, так рада! — воскликнула Люда, обнимая меня, и, отстранившись, извиняющимся тоном добавила: — Тебе не будет у нас скучно? Ведь наша жизнь самая обычная...

Обычная жизнь? Как будто я каждый день прыгаю с вертолета в горные ущелья, отклоняю предложения стать кинозвездой и разъезжаю по Питеру в белом кабриолете...

— Да-да, наша жизнь самая обычная, — радостно подхватил Игорь и с таинственным видом добавил: — Но мы кое-что сделаем, чтобы во время этого родственного визита ты совместила полезное и приятное в одном лице.

Выражение «совместить полезное с приятным» мама использовала, имея в виду, что мы должны полить грядки, вскопать землю под кустами смородины или съесть что-нибудь невкусное, к примеру капусту.

Игорь с горделивым выражением лица водил меня по квартире как по поместью, объясняя, что хотя квартиру — две комнаты, кладовка и балкон — ему снимает компания, хозяин квартиры из симпатии лично к нему, Игорю, разрешил ему обустроить все по своему вкусу. Игорь показал мне это все — под каждое движение руки или ноги у него имелось отдельное приспособление: скамеечки и полочки в прихожей, скамеечки и полочки в ванной, крючочки, ограничители для каждой двери и даже специальные палки для зашторивания окон, чтобы занавески не сбивались, а висели ровно.

Игорь водил меня по квартире, а Люда ходила за нами, поправляя и без того идеально ровно висящие скатерти и занавески.

— Мы с супругой обедаем на кухне, а на диване в гостиной пьем чай. Телевизор мы иногда смотрим в гостиной, а иногда в спальне. А на балконе мы с супругой намереваемся весной поставить синюю пластмассовую мебель, два кресла и столик, на столике будет ваза, — рассказывал Игорь. — Посмотри, какой у нас вид с балкона! Это тебе не какой-то там Петербург, это Москва!

С высоты была видна только длинная череда многоэтажных домов, как у нас в Купчино или на Гражданке, но я восхищенно кивнула.

— Ну, прошу за стол, — приветливо сказал Игорь, — супруга приготовила праздничный ужин в честь твоего родственного визита.

Стол был накрыт нарядно, со свечами, салфетками, красивой керамической посудой, и чувствовалось, что Люде приятно быть хозяйкой всей этой красоты.

— У вас красиво и... очень красиво, правда! — горячо похвалила я.

Игорь кивнул и поднял бокал с вином:

— Я предлагаю тост. Я хочу выразить спасибо Лизе за то, что она тогда совершенно правильно отказалась... ну, вы меня понимаете. Люда — это как раз то, что мне надо для построения счастливой семьи, а Лиза мне совсем не подходит. Теперь, сквозь клизму времени, все это хорошо видно.

Я фыркнула, заговорщицки взглянув на Люду и ожидая, что она засмеется вместе со мной, но Люда с непроницаемым видом смотрела сквозь меня.

— Я тоже сквозь призму времени вижу, что мы поступили правильно, что ты, Игорек, самый лучший муж для меня, — мягко отозвалась она.

Наверное, теперь я должна была вести себя с Людой немного как с чужой... Игорь был муж, и мы не могли посмеиваться над ним, как раньше посмеивались над просто нашими мальчиками.

Люда еще несколько раз делала вид, что не замечает промахов Игоря, мягко и необидно его поправляла, и мне тут же захотелось быть такой же, умной и тактичной. С этой минуты «клизма времени» станет моим волшебным словом, напоминающим, что человека необходимо принимать со всем хорошим и плохим. Как только кто-нибудь скажет что-то неловкое, я тут же рассмеюсь... то есть наоборот, я не буду смеяться, я скажу себе: «Клизма времени, Лиза», — и сразу же приму человека таким, какой он есть.

За ужином мы обсуждали условия кредитов.

— Мы собираемся купить мне машину. По выходным ездим по салонам, присматриваемся, — объяснила Люда.

— Тут важно сочетание процентной ставки и первого взноса, — сказал Игорь и голосом нежного повелителя добавил: — Малышка, ты обещала мне зачесывать волосы назад.

Люда немедленно встала и причесалась, как он велел, — с новой прической она выглядела старше и солидней.

— Совсем другое дело, — одобрительно кивнул Игорь и важно пояснил мне: — Я лично считаю, муж обязан следить, чтобы жена хорошо выглядела. У нас в семье необходимая одежда и обувь выбирается совместно, но я руковожу. Я лично не позволяю своей супруге одеваться в магазинах для подростков, в «Бенетоне» или в «Манго».

Люда кивнула.

— Я Люду попросил сразу же предоставить перечень необходимой одежды на ближайший сезон. Перечень необходимой одежды будет уточняться, — строго сказал Игорь. — Я лично думаю о приобретении мехового полушубка. Как ты считаешь, лучше голубая норка или коричневая?

— Голубая, — сказала Люда. — Хотя как ты скажешь, такую и купим... Ты же у нас все решаешь.

— Голубая, — решил Игорь и вдруг заворковал нежно: — Конечно, я все решаю, а кто же еще, тебе позволь самой решить — так ты такого нарешаешь...

Я растерянно улыбалась — мне казалось странным, что он опекает Люду как несмышленыша и Люде, всегда такой независимой, это нравится.

— Я, когда Люду сюда привез, сразу же составил правила внутреннего распорядка нашей жизни, чтобы у нас не было разногласий...

Игорь полез в ящик кухонного шкафчика, достал тетрадный листок в клеточку. На листке был заголовок крупным шрифтом — «Список».

— Сейчас я зачитаю.

Понедельник—четверг: вечера дома, ужин, просмотр телевизионных передач.

Пятница — кино, раз в месяц театр.

Суббота, утро — генеральная уборка, проводится совместно.

Суббота, день — закупка продуктов и других товаров потребления.

Суббота, вечер — ужин в ресторане.

Воскресенье — подготовка к рабочей неделе. Ужин дома, просмотр спортивных телепередач.

— Дальше интимное, — улыбнулся Игорь, ласково потрепал Люду по щеке и убрал листок в ящик. Наверное, интимная жизнь у них тоже по распорядку.

— Игорек, тебе пора спать, — ласково сказала Люда. — А я сегодня нарушу режим, поболтаю с Лизой подольше?.. Ты не возражаешь?

Игорь ушел спать, нежно сказав Люде: «Можешь не торопиться, малышка», и мы с Людой остались вдвоем. Люда смотрела на меня насмешливо — наверное, у меня был вид человека, у которого чешется нос, но он не решается его почесать. Мне очень хотелось спросить, не сходит ли Люда с ума от этого «Списка», не хочет ли она его разорвать и выкинуть в окно, но я сказала себе: «Клизма времени, Лиза», — и удержалась, не спросила.

— Хочешь спросить, не схожу ли я с ума от этого «Списка»? — улыбнулась Люда.

— Нет, ну почему же... Хорошо, когда любимый человек берет на себя ответственность за твою жизнь, — кротко сказала я, как будто я была тактичная гостья, да ведь я и была гостья.

— Да, хорошо... У нас есть «Список», с которым мы оба согласны, это и есть зрелые отношения равноправных партнеров, каждый из которых всегда готов прислушаться к другому. Так что в этом смысле все прекрасно. Во всех смыслах все прекрасно, — поправилась Люда и вдруг хихикнула: — Лиза, ты подумала, что интимное — это секс по средам и субботам? Ничего подобного. — Она прикрыла кухонную дверь и достала из ящика тетрадный листок: — Я тебе прочитаю. Только не смейся и не говори маме.

Люда шептала, а я слушала и не понимала, что происходит, что из этого действительно было записано в «Списке», а что было ее комментариями. Не понимала, может ли быть, что это всерьез, или все это была шутка и уже нужно смеяться? На всякий случай я время от времени издавала какой-то странный писк, что-то между сочувственным хмыканьем и вежливым смешком.

Можете не верить, но в целом это звучало так:

...Работать в роддоме нельзя по причине неодобрительного отношения Игоря к суточным дежурствам.

— Мне пришлось устроиться в поликлинику, но я так мечтаю опять принимать роды, — жарко шептала Люда.

...Звонить маме можно по средам каждую вторую неделю. С мамой семейную жизнь не обсуждать: что едят, что покупают, куда собираются в выходные — это неразглашаемая информация.

...Исключить незапланированные визиты и звонки. Встречаться с подругами можно, но по особой договоренности с Игорем. Подруги могут посещать Люду дома, хотя это и не очень желательно, и он надеется, что его пожелания не видеть ее подруг у себя

229

дома будут учтены. Разрешение на визит подруг выдается на определенное время, и в нем может быть отказано без объяснения причин.

— Подругам, не прошедшим фейс-контроль, может быть отказано от дома без объяснения причин, — пошутила я, но Люда не улыбнулась.

Я еще раз попыталась ее приободрить и развеселить:

— Но есть еще масса приятных занятий, которые не вошли в «Список», а что не запрещено, то разрешено. Следовательно, все остальное можно — болтаться днем по магазинам, после работы задержаться и выпить кофе — он и не узнает! Он же не может поймать тебя на том, что ты куда-то забрела, и быстренько записать это в «Список»!

Люда сделала гримаску, означавшую «ты не понимаешь».

— Магазины? Кафе? А деньги?! Мы все покупали вместе, и получается, мне и деньги-то не нужны. Только на автобус, на метро и на еду в те дни, когда я работаю, — прошептала Люда и, спохватившись, добавила: — Не думай, что Игорь жадный. Слышала, он хочет мне машину купить, шубу...

— Тебе нужно было сразу же уехать домой, — сказала я.

Бедная Люда, если бы кто-то заранее спросил ее, хочет ли она так жить, она бы ответила «нет». Но ведь ее никто не спрашивал, и она все время делала по маленькому молчаливому шажочку навстречу — соглашалась.

— Домой?! — фыркнула Люда. — А что люди скажут? И мама, главное, мама!.. Для нее это было бы ужасно, она бы сказала, что у нас в семье все неудачницы.

— Да, — поддакнула я, — да-да-да! То есть я хочу сказать, что тетя Ира именно это и скажет, но это не означает, что ты должна терпеть такую... такое... такого!

Тети-Ирино разочарование, стыд перед людьми, висящее в шкафу свадебное платье со шлейфом, полная уверенность Игоря, что все делается правильно, — это не причины для того, чтобы быть несчастной.

— Люда, твои мучения закончились. Я тебя забираю. — Я решительно поднялась со стула. — Где у тебя чемодан? Невозможно все это терпеть.

— Невозможно все это терпеть, — согласилась Люда. — Но я и не терпела. И теперь у нас все по-другому, все, как я хочу!

Люда смотрела на меня с видом фокусника, вынимающего кролика из шляпы.

— Хочешь, расскажу, как я этого добилась?.. Очень просто. Мы ссорились, я плакала — не могла же я согласиться с тем, чтобы ко мне относились как к глупенькой малышке. А потом я вдруг поняла: у меня же есть все, абсолютно все, чтобы быть счастливой! Я не могла согласиться с тем, чтобы ко мне относились как к глупенькой малышке, а потом согласилась.

Я все еще не понимала, и Люда снисходительно пояснила:

— Секрет удачной семейной жизни в том, чтобы приспособиться к партнеру. Пусть будет, как он хочет, — он главный, а я глупенькая малышка и во всем его слушаюсь. И теперь мы совершенно счастливы.

— Это он счастлив, а ты? — недоверчиво спросила я.

— Я тоже.

Игорь совершенно счастлив, относится к ней как к глупенькой малышке. Люда совершенно счастлива, как будто она и есть глупенькая малышка.

И тут зазвонил Людин мобильный. Наверное, в такое позднее время Люде не разрешалось разговаривать по телефону, поэтому она быстро схватила телефон и, не слушая, кто это, торопливо сказала:

— Мама, привет, как твои дела?

Оказалось, что это звонит Игорь из соседней комнаты.

О том, что было дальше, умолчу, — нет-нет, никакого скандала, никаких грубостей, просто Игорь очень подробно объяснял, что врать нехорошо, а Люда с виноватым видом соглашалась.

— Игорек, я хотела тебе сказать, я нашла работу в роддоме, недалеко от дома, — наконец вставила Люда. — Я-то сама очень хочу, но без тебя как решить? Как ты скажешь, так и будет. Я так и сказала главврачу: как муж решит, так и будет, он у нас главный. Ты как, Игорек, к чему склоняешься?

— Я-то? Ну… — Игорь задумался. — Я решил. Иди в роддом.

232

После этого решения мы все отправились спать, но я еще долго не спала — сначала слишком старалась заснуть, чтобы не слышать мерное поскрипывание кровати, доносящееся из их спальни, а затем думала о Людиной семейной жизни и о семейной жизни вообще.

Неужели женщинам всегда приходится притворяться кем-то другим, чтобы сохранить любовь? Разве умная женщина всегда обращается с мужем как с хитро прирученным домашним зверем? А я, смогла бы я ради Сергея притворяться кем-то, кем я не являюсь? И если да, то кем мне нужно было бы притвориться?.. Ничего я не понимаю ни в любви, ни в чем...

— Люда сказала, что у тебя душевная травма. Как ты сегодня, ничего? — спросил меня утром Игорь. — Ну ладно, клин клином вышибают. Сейчас придет один человек с тобой знакомиться... Так что держи себя гордо, помни, что ты моя родственница.

Я уже привыкла к тому, что Игорь выражается странно, и не обратила внимания на фразу Игоря: «Мы кое-что сделаем, чтобы во время этого родственного визита ты совместила полезное и приятное в одном лице». Оказалось, приятное — это Игорь с Людой, полезное — новые знакомства, а многозначительное «кое-что» — свидания, которые они с Людой устраивали мне каждый день. В день по свиданию.

В игре в фанты задают вопрос — «Что этому фанту сделать?» — и человек, которому принадлежит фант, должен выполнить то, что ему назначат, часто что-то дикое и причудливое — к примеру, выйти на улицу и поцеловать первого встречного. Любовные действия по отношению к первому встречному почему-то особенно часто фигурируют в этой игре. Наверное, у всех нас есть подсознательная надежда на этого первого встречного, на случайность, непредсказуемость, волшебство, — а вдруг именно с ним, таинственным первым встречным, как раз и выпадет любовь?..

Особенно велика эта надежда, когда у человека несчастная любовь, когда бросили, пренебрегли, когда немедленно, срочно необходимо зализать раны, нанесенные его самолюбию, утешиться (проходящий персонаж, статист без имени, не влюбленный в меня, как и я в него, не годился для утешения)... Тут-то он и пускается во все тяжкие.

Вот и я пустилась во все тяжкие, ведь для этого и приезжают на воды, и я с замиранием сердца ждала — а вдруг выпадет фант?!

Фант № 1

Идея поддерживать меня, любить, утешать и развлекать новыми знакомствами принадлежала Люде, но она как-то умудрилась внушить Игорю, что это его идея, а не ее, и Игорь так рьяно взялся за дело, будто он не менеджер по продажам, а профессиональная сваха.

Первым фантом был коллега моего родственника, менеджер по имени Игорь, и в точности такой же добропорядочный зануда, как мой родственник. Зануда № 1 и Зануда № 2. Но наш Игорь в душе трогательный и беззащитный, а Зануда № 2 был зануда, зануда, зануда!..

Зануда № 2 был невысок, чуть ниже меня, с ранними залысинами на висках. Выражение лица у него было грустное, но время от времени он как будто спохватывался и улыбался открытой американской улыбкой в тридцать два зуба — наверное, это была их фирменная корпоративная улыбка, которой их научили на тренингах.

Первую половину вечера Зануда № 2 обсуждал, куда нам лучше пойти — в кафе, в кино или, может быть, на дискотеку, хотя ему завтра рано вставать.

— Завтра мне нужно убираться в квартире, — сказал Зануда № 2.

С этой минуты все мои надежды на этот фант рассеялись как дым. Мужчина может сказать мне все что угодно: что он «позвонит», что он любит «творог» и даже, что кофе вкусный, — пожалуйста. Но только не «убираться». Человек, который говорит «убираться», не существует для меня как сексуальный объект. Пусть я буду выглядеть избалованной, капризной, но, в конце концов, каждый имеет право на свои сексуальные предпочтения.

— Давайте просто зайдем в какую-нибудь кофейню и поговорим... — Я хотела сказать «минут десять», но свидания с фантами плохи тем, что их приходится вежливо доводить до конца, не убегать же от человека, крича на ходу: «Нет, нет, ни за что!»

Зануда № 2 непременно хотел пойти в одно определенное кафе, и мы поехали в это кафе на метро.

Кафе оказалось сетевое, «Кофе-хауз». Я не люблю «Кофе-хауз», а если Зануда № 2 любит, то можно было бы найти его и поближе, но он привык именно в этом — зануда...

Вторую половину вечера мы провели в кафе, я — за чашкой капучино, он — за чайником зеленого чая.

Зануда № 2 — хозяин жизни, не в том смысле, что он олигарх или политик. Жизнь у него под контролем, и он хозяйничает, управляет, владеет каждой мелочью, — легко ориентируется в незнакомом городе, никогда не опаздывает на встречи, модно одевается, не забывает почистить зубы и погасить на ночь свет, наслаждается всем — работой, вечеринками, спортом. Все у него идет по строгому плану: в понедельник он знает, что у него на ужин в четверг, и любая неожиданность в жизни, к примеру апельсиновый творожок на завтрак вместо клубничного, выводит его из себя.

— Зачем я вам? — внезапно спросила я.

— Вы?.. Мне?.. — От неожиданности Зануда № 2 растерялся и перестал улыбаться. — Затем, что у меня неприятности с моей девушкой, и я думал — а вдруг? Игорь сказал: «Клин клином вышибают»...

— Знаю, он мне тоже это сказал, — кивнула я. Я думала, что он мой фант, а Зануда — что я его. — У вас неприятности с девушкой? Какие? Мы же все равно никогда больше не увидимся, так что можете рассказать мне все.

236

Игорь мгновенно изменился, как будто рожица с углами губ, опущенными вниз, притворялась рожицей с углами губ, поднятыми вверх, и теперь наконец отыграла номер, расслабилась и приняла привычный вид. Весь вечер он изображал довольство жизнью, и вдруг из-за этой бравой картонной фигуры выглянул неуверенный в себе печальный человек. Почему он считает, что непременно нужно быть в образе успешного человека, когда его собственный гораздо более милый?.. Ну и что же, что человек говорит «убираться», никогда больше не стану судить о людях по одному неправильному слову!

Игорь рассказал мне о своей девушке — его девушка, теперь уже бывшая девушка, его разлюбила. Да это и понятно, зачем ей такой скучный, неромантический человек, она пользуется сумасшедшим успехом, у нее пол-Москвы поклонников, она очень красивая, очень обаятельная и очень...

— Очень что? Добрая? — сочувственно подсказала я.

— Очень... очень... очень... — как заезженная пластинка, шипел Игорь, уставившись на входящих в кафе девушек.

— Она? — спросила я, и Игорь кивнул. Теперь хотя бы ясно, почему он потащил меня на другой конец города — это ее любимое кафе.

Девушки проследовали мимо нас к соседнему столу и, усевшись напротив меня, принялись шептаться и хихикать. Я не заметила в его девушке никаких чрезвычайных качеств, скорее я бы заменила все «очень» на «в меру» — в меру хорошенькая, в меру обаятельная... Единственное «очень», которое я бы ей оставила, это очень большая врунья. Девушка, у которой пол-Москвы поклонников, не станет проводить субботний вечер с подружкой в ближайшем к дому кафе «Кофе-хауз». Если бы Игорь спросил меня, я бы так и сказала. Но он ни о чем меня не спрашивал, а молча сидел, стуча зубами о чашку с зеленым чаем.

Бывшая девушка Игоря продолжала сверлить меня взглядом, и я, оживившись, подалась к нему через стол. Я улыбалась, кокетничала, несколько раз погладила Игоря по руке — на ощупь он оказался приятным, — и злорадно наблюдала, как бывшая девушка с обиженным лицом металась мимо нашего столика под предлогом похода в туалет.

— Внимание! Она идет в туалет в пятый раз, сейчас вы скажете громко: «Я разочаровался в любви, но ты мне очень нравишься». Ну, быстро!

— Я... я... я... — покраснев, пробормотал Игорь.

— Я... я... я... я вам очень нравлюсь! — подхватила я и громко, на все кафе, закричала: — А вы, вы, вы... вы такой умный, такой красивый... я сразу же в вас влюбилась! Я никогда не встречала таких мужчин, как вы! И все мои подруги тоже сразу же в вас влюбились, они тоже никогда не встречали таких, как вы! У вас же пол-Москвы поклонниц! Вы как прекрасный принц!

Бывшая девушка остановилась у нашего столика.

— Вы вообще кто? — высокомерно произнесла она. — А я...

— Ох... Вы?.. Неужели вы бывшая девушка Игоря? — голосом человека, обнаружившего рояль в кустах, спросила я.

— Да, я девушка Игоря, — по-школьному подтвердила она и, не выдержав надменного тона, всхлипнула: — Мы с Игорем любим друг друга, а вы и ваши подруги... зачем вы вмешиваетесь в чужие прекрасные отношения?

Игорь дернулся ей навстречу, и мне пришлось пару раз пнуть его под столом, но этот зануда ничего не понял, только посмотрел на меня жалобно.

— Вы любите Игоря? — Мне хотелось добиться от нее четкого ответа. — Скажите мне, что вы его любите, и я уйду... А иначе я останусь и буду бороться за свое счастье. Еще неизвестно, кто из нас победит.

— Да... Я люблю Игоря, — глядя на меня, застенчиво призналась девушка.

Я сделала вид, что потрясена, вскочила и убежала, пробормотав на прощание:

— Ну что же... тогда мне лучше уйти. Или все-таки лучше остаться?.. Нет, я уйду, уйду... Берегите его.

Я надеялась, что Зануда № 2 правильно использует ситуацию и что его девушка запомнит, у кого из них пол-Москвы поклонников, но если честно, мне показалось, что он с ней еще наплачется.

— Ну, как он тебе? Он у нас самый перспективный, — с гордостью спросил меня Игорь.

— Он перспективный, но нет, невозможно — он говорит «убираться в квартире»...

— А ты что думала, домработница будет убираться? — возразил Игорь. — Все убираются, и ничего тут такого нет.

У Игоря зазвонил телефон. Он удивленно сказал в телефон: «Да, она ничего, нормальная девчонка... Нет, она математик, а не актриса».

Почему не актриса? Я играла в школьном театре все главные роли, иногда даже мужские роли, например Дон Кихота.

— Все пропало, — повернувшись ко мне, мрачно сказал Игорь. — Он передал тебе «спасибо» и сказал, что у него скоро свадьба. Но ты не отчаивайся. У тебя впереди еще два дня.

— Я не отчаиваюсь, — гордо сказала я.

Но я отчаивалась! Что у меня впереди?! У меня впереди только я сама. Человек, который говорит «убираться», для меня не существует, а сейчас так говорят почти все...

Фант № 2

На следующий день я встречалась с Володей. Володя — врач-рентгенолог из Людиной поликлиники, высокий, с волевым лицом, кудрявый, и никакого намека на преждевременную лысину и занудство. Володя решительно повел меня в кафе, сказал, что нам нужно познакомиться поближе, и показал мне свои детские фотографии — неужели он всегда носит их с собой?

Еще он показал мне фотографии своих друзей: вот он на отдыхе с Катей, вот он в кафе с Жанной. Но все это, сказал Володя, уже далекое прошлое, больше недели назад, а сейчас у него совсем другая жизнь. Сказал, что я ему очень понравилась. Немного меньше, чем Маша, с которой он вчера познакомился по Интернету, но намного больше, чем Даша, с которой он встретится сегодня чуть позже.

Мне показалось, что Володя рассчитывал, что я заплачу за его чашку кофе и рогалик, во всяком случае намекал, что забыл дома бумажник. Может ли быть, что Катя, Жанна, Маша, Даша платили за него в кафе?

— Ну, как он тебе? — волнуясь, спросила Люда. — Он у нас в поликлинике считается неплохим врачом. Говорит, что его жизненное кредо — больше девушек, хороших и разных, но это только пока он ищет свой идеал.

— Это не я, — быстро отозвалась я. — И он тоже не мой идеал. Знаешь, я бы хотела, чтобы мой идеал был... э-э... сероглазый. С волевым взглядом. Не сексуально озабоченный.

— Не теряй надежды, — тепло сказала Люда, — счастье придет — на печке найдет.

Но я теряла надежду, теряла!.. Один раз счастье уже нашло меня на печке, почему оно должно думать, что я все еще нахожусь там же?..

Фант № 3

Вечером того же дня я встречалась с Сергеем. Не буду его описывать, в любом случае мне не подходит имя, вызывает много ассоциаций и слезы. Последний вечер на водах я провела в слезах и в Людином домашнем костюме с зайчиком на животе.

Фант № 4

В последний день перед отъездом я встречалась с Мишей. Вид у него был какой-то некормленый, брюки неглаженые, в глазах тоска. Миша принес цветы мне и Люде, сказав: «Доктору от благодарного пациента». Я удивилась, почему он Людин пациент, ведь Люда — гинеколог.

— Ну... мало ли какие у людей болезни, — туманно ответила Люда, — не думай об этом.

Как выяснилось, Миша не был пациентом гинеколога, он был мужем пациента гинеколога. Миша сказал, что с женой у него нет близких отношений, она его совершенно не понимает, а ему нужна родственная душа, которая будет слушать эротические стихи его сочинения и делить с ним постель.

На прощание Миша сказал, что любит секс любого рода, в том числе и по телефону между Москвой и Питером, мурлыкал, как он почувствует через телефонный провод мои чудные руки и все остальное.

— Я не хотела, чтобы у тебя возник роман с женатым мужчиной, — оправдывалась Люда. — Я просто подумала, раз уж тебе никто не понравился, пусть это будет твой последний шанс.

Люда с Игорем провожали меня на вокзал, махали вслед поезду и выглядели так мило и одинаково, словно сто лет прожили вместе. И я уже не понимала, перед кем Люда притворяется — перед Игорем, что маленькая глупышка, или передо мной, и на самом деле ей нравится быть глупышкой. Ей все нравится. Они — хорошая пара.

Может быть, все дело в том, что у Люды хороший характер, а у меня плохой? Все не по мне, один «убирается», другой — сексуальный маньяк, третий — пациент гинеколога...

...Эту главу можно было бы писать бесконечно, потому что на свете бесконечное множество людей, замечательных, умных, красивых, но мне они не подходят. Эта глава самая короткая, я сделала это намеренно — все равно они мне не подойдут, сколько ни пиши. Только у этой главы есть название, и желающие могут продлить главу «Фанты» сами — каждый может включить сюда бывших любовников, старых знакомых, новых знакомых, прохожих, в лица которых мы внимательно всматриваемся, пытаясь отыскать единственно нужного нам человека.

Глава 9

У калитки меня встречали собаки и Лидочка. Лидочка, обычно равнодушная, вся в своих мгновенных желаниях, на этот раз бросилась ко мне так же возбужденно, как такса и пудель, словно и у нее нет других дел, кроме как встречать меня у калитки, помахивая хвостом.

— Ты почему не в школе, заболела, опять уши? — спросила я.

— Лиза, не ходи, не ходи, не ходи... — горячо зашептала Лидочка.

«Почему мне нельзя домой, что случилось?» — устало подумала я. Я вернулась в дурном настроении. Это была глупая поездка — я ходила по Москве со своими фантами и надеялась встретить Сергея, как будто можно встретить человека в многомиллионном городе, да и где я могла его встретить — в «Кофе-хауз»? Я же не надеюсь встретить его у нас в Петербурге в «Кофе-хауз»! Глупо, глупо и глупо!..

— Иди в кино или в кафе, я тебя умоляю, — шептала Лидочка.

Да что же, наконец, случилось?! Не слушая больше Лидочку, я побежала к дому.

Мама стояла в дверях в имидже самого несчастного человека, со скорбным лицом и со скрещенными на груди руками.

— Не надо заходить в дом, — сказала она, и я испуганно остановилась, опустив на землю сумку. Мама с лицом, Лидочка дома в неурочное время, вернее, в урочное, когда она должна быть в школе, — я подумала о самом худшем.

— Мама, что? Что-нибудь с папой? С Женей? — выдохнула я. — С Марией?

Оказалось, с Лидочкой. В десять часов утра — в это время начинается второй урок — непривычно тихая Лидочка стояла у калитки.

— Мне больше не нужно ходить в школу, — сказала Лидочка.

У мамы не возникло мысли, что Лидочку освободили от занятий за отличную учебу, но Лидочка все-таки уточнила:

— Меня выгнали из школы. А я и сама туда больше не пойду.

На вопрос: «Что случилось?» Лидочка независимо ответила — ерунда, не о чем говорить, и, несмотря на все уговоры, молчала, и только мелко дрожала, как пудель при виде торта.

— Ну что, развеялась? Выглядишь веселей, чем уезжала, — сдержанно сказала мама. — А пока ты там веселилась, тебя в школу вызвали. Вот и езжай в школу. Сразу же, не заходя в дом.

— Но почему так срочно? — удивилась я.

— Да ерунда, — небрежно сказала мама, — какая-то школьная ерунда. Похоже, большая неприятность. Я не поеду, у меня... голова болит.

Мама отводила глаза, и вид у нее был одновременно независимый и боязливый, как у пуделя, когда я застала его на столе поедающим торт из коробки. В ответ я тоже приняла независимый вид.

— Я тоже не пойду. У меня тоже голова болит. Я только что приехала. И... не пойду, и все. Это твоя дочь, а не моя. Почему всегда я?

— А я почему? — нелогично возразила мама. — Почему всегда я?

— Но, мама, ты же умеешь с людьми, — упрямилась я.

— Умею, но не сегодня. Сегодня я не в голосе, — жалобно объяснила мама, как хорошая актриса, которая понимает, что сегодня не ее день, у нее нет куража и она не может выйти на сцену — толку не будет, а позору не оберешься.

Мама смотрела на меня полными горечи глазами, глазами человека, который только что приехал, а ему даже не дают войти в дом.

Я стояла под душем, а мама, стоя под дверью, выкрикивала:

— Лиза, быстрей! В школу! Немедленно!

Подгоняемая мамой, я выбежала из дома непричесанная, в расстегнутой куртке и в розовых пушистых тапочках-зайцах вместо туфель. У калитки меня догнала Лидочка с моими туфлями в руках.

— Не ходи, не ходи в школу! Скажи маме, что была, а сама иди в кино или в кафе!.. Не нужно в школу, там такой скандалище... Но я ни в чем не виновата.

— Ты никогда не виновата. Посмотрим, в чем ты на этот раз не виновата, — сказала я грозным голосом судьбы. — Как зовут твою учительницу?

— Швабра, — кротко ответила Лидочка.

— Как ты смеешь ругаться? — рассердилась я.

— Швабра... А как ее еще называть? — изумилась Лидочка. — Я не помню, как ее зовут. Если ты будешь спрашивать у ребят в школе, просто скажи: «Вы не знаете, где Швабра Игоревна?»

— Лидочка, нехорошо называть так взрослого человека, учителя, который отдает вам... — строго сказала я и неуверенно добавила: — ...отдает вам свои знания, себя...

— Ей за это деньги платят, — бросила Лидочка и ушла в дом.

Я не люблю учителей, да это и понятно — я не так давно окончила школу, чтобы любить учителей. Учителя — женщины. Женские коллективы самые жестокие, в них царят специфическое женское соперничество, зависть, мелочность, злорадство. Все эти чудные черты учительницы проявляют не только в педагогическом коллективе, но и в классе — я хорошо это помню. К тому же почти все учительницы одинокие и ненавидят девочек, потому что у них впереди любовь и счастье.

Мария рассказывала, что проведенное в школах исследование показало, что у учителей, работающих больше десяти лет, по сравнению с обычными людьми резко снижена способность к сочувствию и пониманию — я с этим согласна. Все мои учителя были глупые и жестокие, кроме учительницы в первом классе, и я рада, что я выросла и больше не должна их бояться. В общем, школьные учителя — это ужас, летящий на крыльях ночи, детям нужно вырасти, а родителям перетерпеть.

Лидочка цинично говорит, что учителя не могут быть приветливыми и довольными жизнью, потому что у них унизительная зарплата. Говорит, что все учителя в ее школе делятся на тех, у кого есть деньги и муж, и тех, у кого нет. На тех, кто был в Париже, и тех, кто не был. Лидочка утверждает, что ученики так учителей не делят, учителя сами делятся. Может быть, наша Лидочка — испорченный ребенок, а может быть, она права: униженные не бывают добрыми. Униженные и оскорбленные Достоевского добрые, но они унижены до последней степени, а в меру униженные добрыми не бывают.

Интересно, к какой группе относится эта Швабра Игоревна... Простите, но как мне еще ее называть, если сама Лидочка не знает, как ее зовут?! Пусть она будет просто Лидочкина Учительница.

— ...Мы терпели, мы хотели, мы ее тянули... но она, но эта! — проговорила Лидочкина Учительница.

Лидочкина Учительница ничуть не напоминала швабру, вся в розовом — розовая блузка с рюшами, розовая юбка с воланами, розовый бант в волосах, она была похожа на Мальвину, которая выросла лет

248

до сорока. Она оказалась очень манерной, все время, что мы разговаривали, приглядывалась к себе и тщательно исправляла найденный непорядок: красила губы, капала в глаза визин, в нос — капли от насморка, пилочкой полировала ноготь, и только потом продолжала.

— Она, она... она... ее можно сравнить только с Ксенией Собчак!

Жаль, что Лидочка не слышит, как ее сравнивают с ее идеалом!.. Лидочке в Ксении Собчак нравится все, а мне нравится, что она не боится говорить что хочет.

— Забирайте документы. Зачем ей вообще учиться? Ее не возьмут ни в одну школу! Мы ее выгоним с волчьим билетом!

— Не нужно с волчьим билетом, — нервно хихикнула я, представив Лидочкин ученический билет с фотографией волка внутри. — Извините, это у меня от волнения... Не нужно с волчьим билетом!

— Нужно! — энергично сказала Лидочкина Учительница. — Чего ваша сестрица хочет от жизни? А? Вашу сестру ждет судьба окраинной девчонки, проститутки... Она уже как проститутка... Уж простите, конечно, но как еще можно назвать пятнадцатилетнюю девочку, которая сделала то, что... делает то, что... В общем, безобразие, и вон из гимназии!

Я спросила, где Лидочка была задержана за проституцию — в гостинице, на вокзале? Я сказала, что это неправда, это поклеп, клевета, Лидочка еще ребенок.

249

Наконец мне удалось понять, что все-таки произошло. Если рассказать спокойно, исключив эмоции Лидочкиной Учительницы, то случилось вот что.

Девочки, Лидочка и ее подруга, переписывались на уроке — передавали друг другу через проход тетрадку. Лидочкина Учительница отняла тетрадку и положила к себе на стол. А в конце урока, пока дети писали работу, от скуки заглянула в тетрадку. И прочитала.

— Я прочитала! — воскликнула Лидочкина Учительница. В ее глазах светился счастливый азарт, как у таксы, когда она роет нору в нашем саду — а вдруг там лиса?!

— Нельзя читать чужие письма, — с достоинством возразила я.

— Можно, — с достоинством отозвалась Лидочкина Учительница. — Можно и даже нужно! Вы знаете, что там написано?

Лидочкина Учительница настояла, чтобы я прочитала, и я не могла отказаться, потому что должна была понять, почему у моей младшей сестры вместо аттестата о среднем образовании будет волчий билет, почему у нее не будет выпускного бала и куда в таком случае нам девать выпускное платье.

Я все еще относилась ко всему этому иронически, но... Я не могу воспроизвести то, что было на тетрадном листке, и не могу пересказать это своими словами. На тетрадном листке не было ни одного слова, кроме «он», которое я могла бы процитировать. Все остальное был грубейший мат, при помощи которого Лидочка описывала сексуальные действия, которые она хотела бы произвести с «ним». Ко всему этому прилагались картинки, которые могли бы оказаться к месту на порнографическом сайте.

Невозможно передать словами, что я почувствовала — жар, сердцебиение в животе, радость, что нашу Лидочку больше никогда не увидят в этой школе...

— Ну? — победно произнесла Лидочкина Учительница и немного выпучила глаза. Я поняла, почему дети называют ее Швабра Игоревна, — потому что она настоящая швабра!

— Это частное письмо, — упрямо сказала я. — Это ее личное дело, что писать подруге.

— У меня на уроке не бывает личных дел! Она безнравственная девчонка! — Лидочкина Учительница Швабра Игоревна улыбнулась.

Чему она радовалась? Тому, что наша Лидочка оказалась безнравственной девчонкой?.. У нее был такой торжествующий вид, что я назло ей, как загнанный заяц, в последнем отчаянии сказала:

— А может быть, это нормально? То есть, конечно, это плохо, очень плохо, но для описания секса нет нормальных слов, а подросткам хочется поговорить об этом, для них самое интересное — поговорить. А может быть, она хотела показать подружке, какая она взрослая?.. Вы не имели права читать.

Лидочкина Учительница Швабра Игоревна подпилила ноготь и накрасила губы.

— Ха. Не имела? Права? Так вот, я не только сама прочитала эту, с позволения сказать, грязь. Я прочитала это вслух всему классу! И мальчик, про которого она всю эту грязь написала, сидел и слушал! Чтобы он знал! Чтобы все знали!

— Вы прочитали это вслух?.. Всему классу? «Он» был мальчик из Лидочкиного класса? И он тоже слышал? — прошептала я. Она читала это перед всем классом, и все слушали, и мальчик, о котором Лидочка написала это, сидел и слушал... — Но Лидочка?.. Ведь она покончит с собой... — прошептала я.

— Такие, как ваша сестрица, с собой не кончают... — ехидно возразила Швабра Игоревна.

— Допустим, — сдержанно согласилась я, — но как вы могли произнести вслух все эти слова?

— А что здесь такого? — удивилась Швабра Игоревна. — Она, значит, может писать такую грязь, а мне нельзя прочитать?

Я еще раз представила себе нашу Лидочку с волчьим билетом, мысленно посчитала до десяти и проникновенно сказала:

— Швабра Игоревна, то есть... я вас очень прошу, давайте вместе подумаем о судьбе моей сестры, она ведь еще ребенок! Я вас очень прошу, не сердитесь на нее... Ну, пожалуйста, я же с вами как с человеком!

— Не надо со мной как с человеком, — покачала головой Лидочкина Учительница.

— А как же мне с вами? — озадаченно спросила я.

— Как с учителем.

Она протянула руку за листком, а я, вместо того чтобы отдать ей листок, быстрым движением скомкала его и сунула себе в карман. Раз уж она не человек, а учитель, то все средства хороши!

— Это копия, — радостно сказала Швабра Игоревна, — а подлинник у директора. Еще одну копию могу вам дать с собой на память, и не забудьте показать это вашей матери и отцу. Идите к директору и забирайте документы.

Я не забрала Лидочкины документы — не хотела идти к директору такой заплаканной и униженной. Мне нужно было прийти в себя, и я зашла в соседний со школой «Кофе-хауз» выпить кофе. Я не люблю «Кофе-хауз», но сейчас мне было все равно.

Я заказала капучино и, положив голову на руки, принялась плакать — специально хотела выплакать все слезы и прийти к директору гордой и безразличной.

— Лиза, — раздалось надо мной, и сначала во мне что-то упало, а потом я подняла голову и увидела — надо мной стоял Сергей.

— Как будто я в Москве, — пробормотала я.

— Ты в Петербурге, — заверил меня Сергей. — У меня здесь встреча. Я сначала не хотел к тебе подходить, но ты плачешь. Какая же из твоих натур плачет — вторая, третья? Я могу им чем-нибудь помочь?..

— Никакая натура, это я сама плачу... Лидочка... несчастье... Что мне делать?.. Никто не может помочь... — Я помотала головой, помахала рукой и даже, кажется, дернула ногой, всем своим видом показывая — уйди!..

Но он не ушел, а уселся за мой стол и призывно махнул рукой официантке.

— Что-нибудь сладкое? Пирожное, мороженое? — снисходительно спросил он, словно я ребенок и меня в моем горе можно утешить мороженым.

— Мороженое, — всхлипнула я, вытирая глаза и нос рукавом.

Сергей читал Лидочкино письмо-копию и удивленно посмеивался и похмыкивал, а я ела мороженое и, все еще всхлипывая, говорила:

— Лидочка, конечно, маленькая дрянь, но сейчас не время думать, почему у нее вместо нравственности пустое место... ее надо спасать! ...Что с ней будет?! Они напишут ей такую характеристику, что ее не возьмут в приличную школу, а в дворовой школе она вообще учиться не будет... Будет болтаться по улицам, не получит аттестат, никуда не поступит и станет проституткой... А ведь она еще ребенок, она может исправиться! — Я опять заплакала... Будет болтаться по улицам, станет проституткой, наша дурочка Лидочка в платке с ее вечно больными ушами... — А Лидочкина Учительница Швабра Игоревна — неужели она останется безнаказанной? Она сама безнравственная похуже Лидочки! Читать вслух такие письма, произносить такие слова!.. Зачем ей это? А может быть, она сексуальный маньяк?..

— Юридически она неуязвима... унижение чести и достоинства как основание для вчинения иска предполагает, что истец подразумевает изменение общественного мнения о себе. Но в данном случае любой адвокат докажет, что действие, оказанное чтением этого письма, не расходится с общественной оценкой личности твоей сестры... Не знаю, что здесь можно поделать.

Я вдруг перестала плакать и, перегнувшись через стол к Сергею, громко прошептала:

— Я знаю, что делать! Мне нужно умыться, переодеться в строгий костюм... Прости, я побегу — у меня тут рядом живет подруга, я возьму у нее черный костюм, надену темные очки... Ну, как тебе моя мысль?

— Неплохая. Но зачем весь этот маскарад?

— Ты что, не понял? Я буду юристом. Как ты сказал — унижение чести и достоинства как основание для вчинения иска предполагает, что истец подразумевает изменение общественного мнения о себе?..

Сергей молча посмотрел на меня, покрутил пальцем у виска, положил на стол деньги, встал и потянул меня за собой.

— Эй, ты, сумасшедшая, у тебя есть полчаса. Дай мне на всякий случай номер твоего телефона.

Я заглянула в класс. Лидочкина Учительница прохаживалась между рядами, поглядывала в тетради — надеялась еще что-нибудь отобрать и прочитать вслух.

— Вас ждут в кабинете директора, — официальным тоном сказала я.

В кабинет директора мы вошли втроем — Лидочкина Учительница, Сергей и я.

— Это наш семейный юрист, — представила я Сергея.

— Мы составили заявление в суд, в районный отдел образования, в газету, в министерство, в милицию. Сейчас я вас ознакомлю, — сказал Сергей.

Сергей вытащил из папки пачку каких-то своих документов. Директриса потянулась за ними, но Сергей держал документы в отдалении от директрисы, показывал издали, но не давал в руки.

— Основание для вчинения иска: унижение чести и достоинства, моральная травма, нанесенная непрофессиональным поведением учителя, обнародование частного письма, повлекшие за собой суицидные настроения подростка... — нудным голосом перечислял он. — Ну и, конечно, денежное возмещение морального ущерба. Подпишите, что вы ознакомлены... Впрочем, это не обязательно.

Директриса с отвращением взглянула на бумаги и на нас и сделала оттоняющий жест, как будто мы были случайно залетевшие в ее кабинет мухи.

— Но, может быть, это слишком? Это такая неприятность для гимназии... Может быть, не нужно? — растерянно возразила я. Мы не договаривались с Сергеем заранее, что я буду добрым следователем, а он злым, но он понял меня с полуслова.

— Нужно, — сказал Сергей, — как ваш юрист я настаиваю.

— Ну хорошо, раз вы настаиваете... Но, может быть, не нужно разворачивать кампанию в прессе, дискуссию на телевидении о правах ребенка? — попросила я.

— Нужно, — твердо ответил Сергей и сделал энергичный жест, словно оттолкнув меня с моим предложением. — Я уже дал редактору программы... э-э... «Откровенный разговор» ваш номер телефона.

Сергей засунул руку к себе в карман, и у меня зазвонил телефон.

— Это пятый канал, программа «Откровенный разговор», — удивленно сказала я, послушав молчание в телефоне, — просят подробности. Имена, фамилии.

— Может получиться громкое дело, — удовлетворенно сказал Сергей.

Мы с Сергеем встали и направились к выходу. Директриса печально смотрела нам вслед, на ее лице было написано «все что угодно, только не кампания в прессе».

— Мы не хотели, но наш семейный юрист настаивает... — улыбнулась я от двери.

Директриса махнула рукой — останьтесь.

— Вам нужен скандал на весь город? — холодно спросила она Лидочкину Учительницу. — Вам нужен районный отдел образования, пресса, телевидение? Вам нужен суд?

— Я? — Лидочкина Учительница ошеломленно смотрела на директрису. — Но вы же сами!

— Вы должны принести девочке свои извинения, — твердо сказала директриса. — Да, девочка была грубовата в выражениях, но ведь это частное письмо. Ее выражения в частных письмах — это дело не наше, а семьи.

— Но вы же сами сказали, что ее нужно гнать поганой метлой, что она позорит...

— Я вот о чем думаю в течение нашей беседы с уважаемым юристом, — мягко сказала директриса. — Как же вам не стыдно читать чужие письма перед всем классом!.. Неинтеллигентно. Нетактично. Нехорошо. Мне за вас неловко.

На выходе из школы нас догнала Лидочкина Учительница и молча, не глядя на нас, протянула мне Лидочкину тетрадь с зайчиком на обложке.

— Возьмите. Это оригинал, — сквозь зубы сказала она.

Мы хохотали, как школьники, как два прогульщика, согнувшись пополам и постанывая, приговаривая «нет, ну как директриса красиво ее сдала», «а как ты сказала про кампанию в прессе», «а как мы перезванивались»... и вдруг я замерла и деревянным голосом сказала «спасибо».

Все это время, что мы играли и притворялись, мне было весело и легко, как будто Сергей мой приятель, однокурсник, мальчик, но сейчас у меня вдруг сделались чугунные руки и ноги, я не могла поднять глаза, — какая стыдная вся эта история с Лидочкой!

— У тебя встреча, — напомнила я.

— У меня встреча, — эхом отозвался Сергей.

— Мне так стыдно, — призналась я, — мне очень стыдно, что ты это прочитал. Я не знаю, почему одна моя сестра выросла такой гадкой, а другая, Женя... Ее можно просветить и выставить на всеобщее обозрение, и в ней не нашлось бы ни одной стыдной мысли, ни одного грубого слова!..

Сергей рассеянно кивнул:

— Да, она милая девушка... Вадик немного ею увлекся...

— Немного увлекся? — осторожно сказала я.

— Вадик очень влюбчив. Я познакомился с Вадиком через Алину, он милый добрый мальчик, и я как-то привык его опекать. Я не первый раз спасаю его от совершенно неподходящей девицы. Мне пришлось объяснить ему, что к чему.

— Очень благородно с твоей стороны так заботиться о друге... — похвалила я.

Мне очень хотелось узнать, что же произошло, — конечно, не выдавая Женю, не поставив ее в смешное положение брошенной. Поэтому я небрежно улыбнулась, как будто мы говорим не о моей сестре, а просто сплетничаем, как бывает между приятелями, — о чужих романах, о том, кто кого любил и разлюбил, кто кому подходит.

— Я и сама думаю, что они очень разные, — согласилась я. — Но мне очень интересно твое мнение — почему они друг другу не подходят? Ты такой умный и так хорошо разбираешься в психологии людей.

Это было беззастенчивое вранье — откуда мне было знать, как Сергей разбирается в психологии людей? Я просто действовала по старинной книге «Искусство обольщения» — льстила и восхищалась. Восхищалась, а сама ожидала, что он скажет в ответ какую-нибудь глупость, из тех, что говорят психологи в семейной консультации: разные темпераменты, характеры... или... неужели он скажет «деньги»? Тогда все сразу встанет на свои места, и я больше не буду о нем думать, не буду вглядываться в лица прохожих...

Оказалось, что старое прабабушкино средство действует и на таких уверенных в себе мужчин, потому что Сергей взглянул на часы и с сомнением спросил:

— Ты действительно хочешь это услышать?.. Ну, хорошо, но у меня только пять минут, так что слушай внимательно. Ты умная девочка, я видел, как ты корчилась от стыда за глупость и распущенность твоей сестры и отсутствие такта у твоей матери... Каждый из нас представляет собой только то, чем является его семья. Не обижайся, ты и твоя старшая сестра — красавицы и умницы, — Сергей улыбнулся, — но разве можно пожелать своим детям иметь такую родню, как эта ваша Лидочка? Да и твой отец... Я видел его лишь однажды, и он вел себя, мягко говоря, странно... кажется, он решил, что мы прибыли из Африки... Ну, неважно... В общем, тут ничего не поделаешь, происхождение — это диагноз, это неисправимо. Я, например, никогда не допущу, чтобы мать моих детей была из простой семьи, я просто не имею на это права. Настоящий мезальянс — это не деньги, это разность воспитания, образования...

Я промолчала, и это может показаться странным. Сергей с потрясающей наивностью расставил нас с ним на разные ступеньки и с верхней ступени небрежно сообщил мне, что я — ниже. Но он так доброжелательно улыбался, был таким милым и мягким, что весь этот разговор был как будто теоретическим, словно Сергей читал лекцию, старательно наделяя меня каким-то новым знанием.

Я молчала, да и что я могла сказать в ответ? Убеждать его, что мама не всегда бывает нетактичной, Лидочка еще ребенок, отец знаменитый ученый, а не сумасшедший, и Африка — это его форма сопротивления пошлостям жизни? Зачем? Глупо уверять человека, который считает вас ниже себя, что на самом-то деле вы ничуть не ниже.

Можно было бы молча повернуться и уйти, но мне хотелось понять все до конца.

— Но при чем здесь Вадик? — спросила я Сергея как преподавателя, как будто я не поняла условие задачи. — Вадик и Алина провели детство на окраине Нефтеюганска, а не в английском пансионе.

— Моя мама считает, что в России необходимо создать новую аристократию. Ситуация Вадика типична: его отец стал очень богатым человеком, он может дать сыну самое престижное европейское образование, но сам так и останется совершеннейшим дикарем. А Вадик, с его богатством и образованием, уже сможет создать новую аристократию — если, конечно, найдет себе подходящую жену, а не медсестру из многодетной семьи с проблемными родственниками... Все, Лиза, мне пора.

— Я поняла, — спокойно сказала я, как будто разговаривала с преподавателем. И вдруг все это перестало быть просто условием задачи, а стало обидой, негодованием, злостью. — Все это глупость! Глупость и высокомерие! — закричала я так, что на нас оглянулись прохожие. — Гадко придумывать всякие теории и топтать живого человека! Из-за твоих дурацких теорий моя сестра плачет, из-за тебя моя сестра несчастна! Женя его любит! Ты понимаешь — лю-бит!

В порыве злости я совершенно забыла о своем желании не выдавать Женю, но ведь это не стыдно — полюбить. Я все еще держала в руке Лидочкину тетрадь и вдруг резко выдернула из тетради страницу, разорвала ее на мелкие кусочки и бросила Сергею в лицо. Я все рвала и рвала тетрадку и бросала, а Сергей стоял, как будто над ним шел снег, и он весь был в белых обрывках, как в снежинках. Я разорвала всю тетрадку и тихим страшным голосом прошипела:

— Ты придумал послать ей деньги. Ты ее оскорбил. Я тебя ненавижу.

— Ты всегда кидаешься предметами, если тебе что-то не нравится? Это только подтверждает мою правоту — ты дурно воспитана. Ринулась в атаку, как этот ваш злобный пес со странным именем, который гуляет по расписанию. А что касается денег, я считаю, что любое затраченное время принято оплачивать, — невозмутимо сказал Сергей и ушел, весь в бумажных обрывках, не отряхнувшись и не простившись.

Ничего подобного! Я хорошо воспитана, я не похожа на Исчадие Ада, и шипела я, как змея, а вовсе не как собака.

— Клево она выступила, — раздался детский голос.

Неподалеку от меня стояли мальчик с девочкой, оба с ранцами за плечами. Очевидно, они стояли здесь уже некоторое время, а я и не заметила, что за нами наблюдают. Теперь они громко обсуждали эту безобразную сцену, как только что просмотренное кино.

Девочка поманила меня пальцем — «пойди сюда», и я послушно подошла.

— Тебе нужно было ка-ак дать ему кулаком, тогда бы он в тебя влюбился, — сказала девочка.

— Так нельзя обращаться с людьми, — солидно возразил мальчик.

— С мужчинами можно, — отмахнулась девочка, — у меня уже такое было: я ка-ак дала одному мальчишке, так он сразу в меня влюбился.

— Это когда было? — ревниво спросил мальчик.

— Недавно, в детском саду, — ответила девочка и обратилась ко мне: — А тебе я знаешь что посоветую? Забудь про него, он тебя не любит. Вот если бы ты дала ему кулаком...

— Ну что? — небрежно спросила мама с видом человека, который готов к большим неприятностям, но в душе надеется на мелкие.

— Да какая-то ерунда, не стоило из-за этого вызывать... — пробормотала я.

— Я так и знала, — кивнула мама.

Маме нельзя было рассказать — она не хочет знать ничего плохого. Отцу нельзя было рассказать — он и без того относится к Лидочке иронически. Жене нельзя было рассказать — она все равно не поймет, что сделала Лидочка.

А вот с Марией можно поговорить — нужно же мне было с кем-нибудь поделиться.

Осторожно, как будто из интереса к проблемам воспитания и наследственности, я задала Марии вопрос:

— Ты случайно не знаешь, что важнее — наследственность или воспитание? Почему в одной семье получаются совершено разные дети?

— Случайно знаю, — кивнула Мария. — Этот вопрос интересовал лучшие умы человечества. Существуют две теории — психоанализ и бихевиоризм.

— Может быть, не стоит?.. — спохватилась я. Пусть хотя бы одна теория, но целых две... Слишком уж у меня сегодня был длинный день.

— Психоанализ считает, что ребенок рождается наследником психологических проблем своих родителей. К этому добавляются ранние детские впечатления, из которых вырастают проблемы и комплексы взрослого человека. Следовательно, воспитание не имеет смысла — все равно ничего изменить нельзя.

— Можешь не рассказывать вторую теорию?

— Не могу, уже увлеклась, — призналась Мария. — Вторая теория считает, что поведение человека зависит только от воспитания — в какой семье он вырос, какая у него была школа, друзья... Следовательно, воспитание имеет смысл — если поощрять ребенка за хорошее и наказывать за плохое, можно достигнуть замечательного результата.

Но эти теории не давали ответа на вопрос: почему в одной семье совершенно разные дети. Лучшие умы человечества не смогли решить вопрос, почему Лидочка — маленькая дрянь, а Женя — ангел. Обе они наследницы проблем наших родителей. И воспитывали их одинаково — любили, не наказывали, читали одни и те же сказки.

Но что же все-таки делать с Лидочкой?

Я попыталась перевести все это на математический язык. У нас два варианта. В первом варианте все уже дано и ответ известен: Лидочка отвечает за проблемы нашей прабабушки, воспитывать ее бесполезно. Во втором варианте ответ такой: Лидочку необходимо воспитывать. Таким образом в обоих вариантах получаем одинаковый ответ: отшлепать Лидочку как сидорову козу.

Я загнала Лидочку, как козу, полотенцем в кладовку, где у нас хранятся овощи, и несколько раз шлепнула ее полотенцем по физиономии, приговаривая: «Ах ты, маленькая дрянь, ты у меня каждый день будешь читать книжки, ты у меня узнаешь, что такое великий могучий русский язык!..» Лидочка отмахивалась, пищала: «Я уже читала книжки — ой! «Буратино» — ой! «Маша и медведь» — ой!..»

Вечером мама думала, что Лидочка с Марией у себя в комнате, Мария думала, что Лидочка у мамы — иногда она приходит к маме пошептаться и, как маленькая, засыпает у нее, — в общем, все хотели немного отдохнуть от Лидочки, и каждый считал, что она где-то в другом месте. И только утром обнаружилось, что Лидочка исчезла.

...Что делать, если из дома исчезла девочка-подросток? Мы решили не поднимать панику и ждать до вечера. Женя отправилась на работу, Мария в институт, а я все-таки съездила в школу.

В школе Лидочка не появлялась. Я поговорила с учителями, с подружками, с мальчиками — никто ничего не знал. Единственные сведения, которые мне удалось вытянуть, — это список мест, где она часто бывает. Оказалось, что Лидочка часто бывает в окрестных бутиках, во всех окрестных кафе и суши-барах, в кафе кинотеатра «Мираж-Синема».

Я как частный детектив обегала все — бутики, кафе, суши-бары, спрашивая, не видели ли девочку с длинными светлыми волосами, в очень короткой юбке, и везде Лидочку видели, но не сегодня. И только бармен в кафе «Мираж-Синема» сказал, что не видел девочку с длинными светлыми волосами никогда в жизни.

Сначала я сладострастно предвкушала, как найду ее, эту девочку с длинными светлыми волосами, в очень короткой юбке, и дам ей по нахальной физиономии. Потом — как презрительно скажу ей «свинья» и ни слова больше. Но чем больше бегаешь, тем больше нервничаешь, и к вечеру я уже была готова броситься Лидочке на шею, разрешить ей больше никогда не читать книжки и выражать свои мысли как придется, — только бы она нашлась! Я непрерывно нажимала на зеленую кнопку своего телефона, и мне казалось, что у меня отвалится палец, а голос «абонент не отвечает или находится вне зоны действия сети» звучит у меня в голове...

Лидочка не появилась ни к ночи, ни на следующий день.

— Что же вы сидите? Человек пропал, ребенок, — недоуменно повторяла тетя Ира. — Неужели ничего нельзя предпринять?

Оказалось, нельзя. В доме царила полная растерянность, все словно замерли, да и что мы могли сделать? Как в огромном городе разыскать длинноволосую девчонку, похожую на всех остальных девчонок в огромном городе?.. Заявление в милицию можно было подать только по прошествии трех суток, идея нанять частного детектива казалась нелепой, городские больницы мы обзванивали каждый час. Оставалось только ждать.

К концу вторых суток мне позвонил Сергей.

— Чем закончилась история с этой малолетней Мессалиной, твоей сестрой? Я привык знать результат своих действий и потраченного времени, — холодно сказал он, и я так же холодно ответила:

— Лидочка исчезла, мы уже вторые сутки не знаем, где она. Я не могу больше говорить, мне нужно звонить в больницы.

Сергей молча нажал на рычаг, и я мельком подумала: теперь моя и без того недостойная в его глазах семья стала совсем ужасной — не просто многодетная семья, а с асоциальными детьми... Мысль мелькнула и погасла — мне было не до Сергея.

Я пыталась рассуждать: Лидочка ушла из дома сама, и это означает, что ее не похитили, она ушла куда-то по своей воле. Но откуда нам знать, что это — лучше? Что она по своей воле не ушла к кому-то, кто... Я не могла думать о том, что можно сделать с доверчивой пятнадцатилетней девочкой, которая считает себя взрослой!..

...Было кое-что, о чем не знал никто, кроме меня, — история с письмом. Лидочкина Учительница сказала, что Лидочка не из тех, кто совершает суицидную попытку, намекая на то, что Лидочке все как с гуся вода, позор ей нипочем и она даже не считает это позором... Честно говоря, я была с ней согласна. К тому же Лидочка трусиха, боится воды, высоты, вида своей крови — она не бросится в воду, не прыгнет с десятого этажа, не вскроет вены... Но вдруг? Вдруг мы неправильно оцениваем Лидочку, ее внутреннее состояние — нам кажется, что она вся состоит из чепухи, а девочка не вынесла позора и что-то с собой сделала?

Лучше всех держалась мама.

— Она у подружки, девочка моя, заболталась и забыла, что мы ее ждем, — по нескольку раз в день повторяла мама. Она, казалось, не понимала, что Лидочка пропала, — очевидно, это было состояние глубокого шока, когда психика включает какие-то таинственные защитные механизмы, которые не дают человеку сойти с ума.

Отец молча спускался вниз, молча уходил из дома, и — я тихонько ходила вслед за ним — медленно бродил по поселку, заглядывая на чужие участки, и тихо говорил «Лидочка!», как будто Лидочка была потерявшаяся собака. Наверное, это тоже было состояние глубокого шока, и его психика включила какие-то другие защитные механизмы.

...Прошло трое суток, и мама с отцом отправились в милицию подавать заявление об исчезновении Лидочки. Я стояла на крыльце, смотрела, как они идут к калитке, — рядом, но отдельно, не поддерживая друг друга, оба сгорбившись и волоча ноги, как два старика. Я не могла отвести от них глаз, смотрела и плакала.

Все дальнейшее произошло, как будто это было кино — немое кино. Первый кадр: две сгорбившиеся фигуры, идущие по дорожке к калитке. Второй кадр: подъехала машина и остановилась у нашей калитки. Третий кадр: из машины выпорхнула улыбающаяся Лидочка и бросилась к маме. Лидочка выглядела довольной и счастливой, стреляла глазами по сторонам как ни в чем не бывало. И последний кадр: удаляющаяся спина отца. Отец шел совершенно иначе, чем минуту назад, шел, выпрямившись и уверенно ступая, но не домой, а из дома.

На этом кадре кино закончилось, и из машины вышел Сергей. Первой моей мыслью было — стыдно, что он видит семейную драму, обычно это стараются не показывать посторонним, потом я удивилась, как это они с Лидочкой случайно встретились, и толь-

269

ко потом я поняла — это он нашел Лидочку, нашел и привез домой.

— Откуда она у тебя? — глупо спросила я.

— Нашел. — Сергей пожал плечами. — Заглянул в школу к девчонкам, одна из них рассказала, что Лидочка часто бывает в «Мираж-Синема» и бармен в «Мираж-Синема» познакомил Лидочку с каким-то взрослым мужиком... Все остальное — дело техники и денег.

— Но... это не бином Ньютона! Я тоже разговаривала с подружками, с барменом в «Мираж-Синема», — самолюбиво сказала я.

Сергей пожал плечами:

— Значит, ты не умеешь правильно разговаривать, а я умею. Девчонка-одноклассница получила новую сумочку в соседнем бутике, а бармен больше не работает в «Мираж-Синема». Он пока нигде не будет работать... Этот подонок знал, что ей нет восемнадцати.

Я непонимающе смотрела на него, и вдруг у меня так щеки запылали, что я прижала руки к лицу, — я поняла, что какой-то сводник продал нашу Лидочку как проститутку какому-то скучающему подонку, подбирающему девчонок.

Больше всего на свете я мечтала, чтобы Сергей ушел, но он не торопился.

— И ты ее нашел, — повторила я, чтобы хоть что-нибудь сказать.

— Нашел и вырвал из рук соблазнителя, — засмеялся Сергей. — Если честно, твою сестру не нужно было вырывать из рук соблазнителя, соблазнитель сам был готов ее отдать, она ему была не нужна. Можно сказать, она у него немного загостилась. Но вам повезло, что это «соблазнитель», а не маньяк. С Лидочкиной девственностью, я думаю, вам расстаться не жаль — все равно не уберечь, а больше она никак не пострадала.

С этим человеком всегда получается одинаково — хорошее мгновенно делается плохим! Он спас Лидочку, отца, маму, но почему же он все время стремится меня обидеть, мне ведь и без того больно!.. Почему смотрит на меня с таким самодовольным видом?!

— Ты всегда в центре всего видишь только себя! Ты делаешь что-то хорошее, чтобы полюбоваться собой, а по-настоящему тебе наплевать на других людей, на их... чувства!

— Да? — холодно произнес Сергей.

— Да, да! А ты попробуй совершить добрый поступок, и чтобы никто об этом не знал! У тебя не получится! Тебе так не интересно! Ну, скажи мне, что ты сделал не на публику? И не для себя, чтобы подумать — «какой я замечательный», а просто для другого человека... ну, хотя бы что-нибудь! Чтобы было не «круто», а просто нормальное маленькое доброе дело. Может, ты бабушку через дорогу перевел?

— Бабушку? — удивленно переспросил Сергей. — А-а... да. Сегодня ехал по шоссе и остановился, у одной бабушки купил яблоки. Зеленые.

— Зачем тебе зеленые яблоки? — подозрительно спросила я.

271

— Мне ее жалко стало.

— Вот видишь... Ты мог бы не рассказывать мне про бабушку, промолчать! А ты даже про бабушку рассказал...

— Ты издеваешься?! Ты же сама спросила! — Сергей обиженно взглянул на меня и сухо сказал: — Мне пора. Рад, что смог быть полезен. Было бы наивно ждать от тебя соблюдения элементарных приличий, но ты все-таки могла бы сказать «спасибо» — я потратил на тебя достаточно много времени.

— Подожди минутку, я сейчас, — я побежала в дом и через минуту вернулась.

— Вот, возьми. — Я протянула Сергею деньги. — Сколько я тебе должна? Ты же говорил, что затраченное время должно быть оплачено.

— Ты что? — медленно спросил Сергей. — Ты что?

Я испугалась, что сейчас он меня ударит, так у него на щеках заходили желваки, и инстинктивно отступила назад. Сергей сделал шаг ко мне, а я еще один шаг от него, и опять — он ко мне, а я от него, пока я не уперлась спиной в забор, и тогда он сгреб в кулак мою куртку и резко потянул к себе.

Я смотрела на него из куртки, как воинственный птенец из гнезда, — сузившимися от злости глазами, и шипела: «Попробуй ударь меня», и... и он меня поцеловал.

— Я... мне... я... — отпустив меня, прошептал Сергей.

— Что ты, что? — нетерпеливо сказала я.

Я думала, он скажет «я люблю тебя» или «завтра позвоню», а он сказал:

— Только этого мне не хватало.

— Чего тебе не хватало? — кокетливо улыбнулась я.

— Только тебя мне и не хватало, — зло сказал Сергей, отпустив меня.

Невозможно объяснить, почему я это сделала, но я это сделала: я засмеялась и, всхлипывая от смеха, передразнила его толстым скрипучим голосом кота из мультфильма: «Только меня тебе и не хватало». Наверное, это была истерическая реакция на все волнения предыдущих дней.

В гостиной все выглядело как будто у нас в семье праздник. Как будто празднуется день рождения Лидочки. Радостная Лидочка сидела в центре, а вокруг нее собрались все мы. Не хватало только отца — он не разговаривал с мамой и отказался поздороваться с Лидочкой.

— Лидочка, девочка, разве ты не понимаешь, как мы все волновались? — мягко упрекнула мама. — Ты ведь могла позвонить.

— Ну, мама… у меня разрядился телефон, — объяснила Лидочка.

— А зарядить? А позвонить с чужого телефона? — мрачно спросила Женя.

Лидочка непонимающе пожала плечами:

— Я забыла.

Женя печально вздохнула:

— Неужели у тебя совсем нет сердца, Лидочка?

— У нее нет сердца, — голосом естествоиспытателя констатировала Мария.

Мама прижала Лидочку к себе:

— Никогда больше так не делай, девочка. А если бы у меня или у отца был инфаркт? Мы так волновались...

— А чего вам волноваться? Со мной ничего не может случиться, — уверенно сказала Лидочка.

Лидочка — классический подросток, для нее самое главное — утверждение себя в мире взрослых. Совершенная убежденность в своей безопасности тоже характерна для подростков. Но ведь все мы в Лидочкином возрасте чего-то боялись: я боялась мышей на чердаке, Мария боялась ходить одна по темному поселку, Женя боялась всего... И только Лидочка ничего не боится. Она действительно считает, что плохое может случиться с кем угодно, но не с ней.

— Нет, ну скажите, что со мной может случиться? — веселилась Лидочка.

— Тебя могут изнасиловать, — шепотом произнесла Мария.

— Не могут, я убегу, — возразила Лидочка.

Лидочка прижалась к маме как маленькая и похвасталась:

— Я теперь тоже взрослая, как Лиза и Женя. И взрослее Марии! Ты понимаешь, про что я говорю? Про секс.

— Лидочка, слишком ранняя половая жизнь — это плохо! — мягко сказала мама, не переставая гладить ее по голове, по плечам, словно не верила, что она вернулась.

— Почему плохо? — вяло поинтересовалась Лидочка.

— Ты можешь забеременеть, а тебе с твоим здоровьем это очень вредно...

Мария привстала со своего места и дала справку:

— По последним исследованиям в России и в Европе, средний возраст начала половой жизни составляет 15,8 года. Ежегодно в мире беременеют от 5 до 10% девушек в возрасте от 13 до 17 лет. Ежегодно приблизительно 14 миллионов молодых женщин в возрасте от 15 до 19 лет становятся матерями, из них 80% живут в развивающихся странах Азии, Африки и Латинской Америки. Деторождение для несовершеннолетних связано с высоким риском для здоровья. Вероятность смерти девушек-подростков в четыре раза больше по сравнению с женщинами старше двадцати лет.

— Со мной ничего такого не может быть, — отмахнулась Лидочка. — Еще почему плохо?

Мама вздохнула, задумалась и наконец сказала:

— Потому что это было без любви, без серьезных отношений...

— С чего это ты взяла, что без серьезных отношений? — удивилась Лидочка. — Это любовь! Вы даже не представляете, кто в меня влюбился! Совершенно взрослый мужчина! Такой красивый, богатый, у него джип. Рассказать вам, как мы познакомились? Это романтическое приключение, у вас ни у кого такого не было! Он приехал, увидел меня, влюбился с первого взгляда, увез... Рассказать вам, как было дальше? Шампанское...

— Не нужно. Не нужно рассказывать, — быстро ответила я.

Я всегда считала отца лучшим из людей, самым умным, талантливым, благородным, но сейчас — сейчас я сидела в кабинетике на своем обычном месте напротив отца и думала о нем плохо. Как он мог не обращать на Лидочку внимания, как он мог махнуть на нее рукой, полностью доверить ребенка маме, он же видел, какая она, — не мама, а Лидочка! Он единственный человек, который мог что-то сделать и не сделал. Это он во всем виноват.

— Как я мог не обращать на Лидочку внимания, как я мог полностью доверить ребенка твоей матери... Это я во всем виноват, — сказал отец. — Лиза, ты ведь это хотела мне сказать? Я полностью с тобой согласен.

— Да, я это хотела сказать... Нет, я совсем не это хотела сказать, — поправилась я и подвинула отцу чашку с чаем. — Я хотела сказать, что ты... самый умный, талантливый, благородный... И что никто не виноват.

— Самое главное в этой истории — не где и с кем Лидочка была, это уже не имеет значения, — рассуждал отец, — и не куда она отправится в следующий раз. Самое главное — не почему она лишена хотя бы начатков разума и простейших понятий о нравственности. Самое главное — не как с ней поступить. Мы бессильны что-либо изменить в ее судьбе.

— Что ты говоришь? Как это бессильны? — испугалась я. — Пожалуйста, не говори так!

Мама ведет себя с Лидочкой как ни в чем не бывало, отец говорит, что мы бессильны...

Мамина стратегия — быстро замазать дырку в тонущей лодке пластилином, сделать вид, что дырки нет, и плыть дальше, а стратегия отца — сидеть на берегу, печально провожая тонущую лодку глазами. Почему они не хотят быстро-быстро грести в надежде спасти тонущую лодку?

— Ты должен, ты обязан... — испуганно повторяла я.

Отец печально покачал головой:

— Что я могу сделать?

— Пойди сейчас вниз. Крикни. Стукни кулаком, — предложила я.

— Ты думаешь? — с сомнением спросил отец. — Боюсь, что это будет выглядеть... неубедительно. Я никогда не стучал кулаком, и мне уже поздно начинать. Что ты предлагаешь? Не выпускать Лидочку из дома, держать ее дома, как дурную козу на привязи?.. Нет, пусть все идет, как идет... я к ней не выйду, и не проси...

Я взяла с письменного стола льва — этот бронзовый лев был подарен отцу одним английским ученым, и, спросив «можно стукнуть?», несильно ударила львом по батарее.

— Слышишь, какой звук? А если сильно стукнуть, звук будет очень громкий.

— Лиза, — удивился отец, — с тобой все в порядке? Я понимаю, что ты расстроена, но при чем здесь мои памятные подарки?

Я спустилась вниз с видом официального посла.

— Отец просил передать, что он не желает видеть Лидочку. Отец также просил передать... — тихо сказала я и вдруг взревела, как страшный зверь: — Не выпускать из дома!

В этот момент раздался страшный грохот — отец изо всех сил стучал бронзовым львом по батарее.

Лидочка прижалась к маме, мама, обняв Лидочку, растерянно глядела наверх, Женя с Марией замерли, — все испугались, что рушится дом.

— Это отец стучит кулаком по столу, — объяснила я.

— Как это страшно — отец, всегда такой тихий, стучит кулаком так, что стены дрожат, — испуганно сказала Женя.

— Хорошо, что я ни в чем не виновата, — поддержала Мария. — Ну что, Лидочка, допрыгалась?

Сверху раздавался грохот — отец стучал львом по батарее, Лидочка дрожала.

— Отец просил передать, — продолжала я в паузах между ударами, — держать дома, как дурную козу на привязи!

— Мама, за что, что я сделала? Я же не виновата! Я не виновата, что у меня разрядился телефон! — изумленно сказала Лидочка и заплакала — наконец-то.

Страшные звуки наверху прекратились, послышались шаги, и отец вошел в комнату.

— Не выпускать, держать дома, — подсказывала я отцу, стоя у него за спиной.

— Не выпускать, — подтвердил отец, — держать дома.

— Отец сказал «не выпускать», «держать дома», — поддакнула я, очень довольная всем — Лидочкиными слезами, маминой растерянностью и бронзовым львом.

Отец повернулся и пошел к себе наверх, и я, как его полномочный представитель, проследовала за ним.

Мы с отцом сидели друг напротив друга, он в своем кресле по одну сторону письменного стола, я на стуле, по другую, а между нами лежали книги и бумаги, исписанные отцовским почерком.

— Ну вот, — удовлетворенно сказала я, — надеюсь, это пошло ей на пользу.

— Ей да, но не льву, — грустно улыбнулся отец, рассматривая вмятины на львиной спине. — Лиза, все это было очень изобретательно, но абсолютно бессмысленно. Я понимаю, тебе невыносимо считать, что поделать ничего нельзя, и ты скачешь, как энергичный щенок. Но поверь, иногда действовать — не

279

самое главное. Так же, впрочем, как рассуждать, почему все не так, как хочется.

— Но что же тогда главное? — Я немного обиделась за щенка.

— Самое главное — научиться с этим жить...

Мне кажется, есть темы, которые отец не должен обсуждать с дочерью. Конечно, отец был под действием сильного стресса, иначе он не был бы со мной таким ненужно откровенным...

В тот вечер отец сказал мне, что не доволен собой, — он сказал это таким же тоном, каким обычно рассказывал мне о Византии, словно о неком научном факте. Поэтому сначала я восприняла это как неожиданное приглашение впервые в жизни поговорить не о Византии, а о чем-то простом. Например, о том, что такое счастье: для отца — творчество, для Лидочки — новое платье, для Жени — Вадик, для мамы — выдать нас замуж...

— Твоя мать, вероятно, тоже недовольна мной, — печально добавил отец.

А я и забыла, что отец «неудовлетворен жизнью», забыла о них, о своих маленьких родителях, а ведь они переживают кризис среднего возраста...

Отец сказал, что мужчине обязательно нужна близкая женщина, и это — не мама. Что у него есть такая женщина — давно.

— Не мама?.. Давно не мама? — удивленно сказала я. Зачем-то подгребла к себе бумаги со стола и, уткнувшись лицом в бумаги, прошептала: — Нет, не

280

надо, я не хочу, я еще маленькая... Она красивая? Молодая, моложе мамы? Может быть, теперь у тебя будут другие дети, лучше нас?.. — враждебно сказала я.

Не знаю, как ведут себя другие дети, чьи отцы сообщают им, что собираются их оставить, но я мгновенно превратилась в злобно клацающего зубами крокодила.

Я испытывала такое острое чувство ужаса, как будто меня бросили в темном лесу, такую обиду, растерянность, стыд, злость, как будто это меня бросили, меня, а не маму! Как будто это я недостаточно хорошая!.. Может быть, это извиняет мое превращение в неинтеллигентного неврастеничного крокодила, а может быть, и нет.

— Я никогда вам, тебе этого не прощу, никогда! — зло сказала я.

— Лиза... — отец укоризненно покачал головой, — я думал, ты умнее...

— А я глупее. Ты хочешь сказать мне, что я все равно останусь твоей дочерью, ты будешь приходить? Я знаю, ты будешь приходить — все реже и реже, и все равно я уже не буду по-настоящему твоим ребенком, а потом ты вообще про меня забудешь, как будто меня и не было — я точно знаю!.. Ты уже сказал маме, что ты хочешь от нас уйти?

— Как я мог бы уйти, когда у вас здесь такое творится, — рассудительным голосом произнес отец. — Но я сказал твоей матери самое главное. А все остальное она поняла без слов.

Мама? Поняла без слов? Как бы не так!

281

— Что ты ей сказал? Словами? — уточнила я.

— Что я неудовлетворен жизнью.

...Зачем отец рассказал мне это? Отец может говорить с дочерью о любви, но он не должен говорить с дочерью о своей любви!

— Когда ты ездишь в город повидаться с коллегами, ты встречаешься с ней? — спросила я.

— Лиза, я никогда ее не видел. Мы переписываемся — уже много лет.

...Зачем отец рассказал мне это? Мне так больно, мне так жалко. Я давно знаю, что ему одиноко, но как же ему одиноко, если он много лет переписывается с кем-то, кого он никогда не видел.

...Но самое главное — моя жизнь не изменится. Я рассуждала эгоистично, но ведь отец сам сказал: «Не нужно рассуждать, почему что-то происходит не так, как хочется, нужно жить». Вот я и забуду этот ночной разговор, забуду и никогда не стану вспоминать.

Но ведь он зачем-то рассказал мне это?

Глава 10

Поздней осенью Лисий Нос выглядит брошенным, жалким и безрадостным, осень обнажает самое некрасивое — свалки мусора на участках, покосившиеся сараи, жестяные бочки, старые колеса, разбитые парники, все, что летом прячется в зелени, а зимой под снегом. Но я люблю Лисий Нос и осенью.

Осенью с залива дуют сильные ветры, заносящие на наш участок тучки прибрежного песка, дождем размывает дорогу к заливу, и появляется особенный запах, пахнет морем, промокшим деревом, дымом — повсюду сжигают листья. Вдыхая этот запах, я всегда чувствую острое счастье.

Счастье ведь бывает разное. Бывает бешеное щенячье счастье, что ты живешь, бежишь по заливу, брызги в лицо, от такого счастья хочется кричать «а-а-а!». Бывает влюбленное счастье, как будто живешь с высокой температурой — возбуждение, зачарованность, злость, сердце вверх-вниз... все, что я чувствовала рядом с Сергеем, было счастье.

У взрослых людей счастье скучное. Мама говорит: «Когда в нашем доме ничего не происходит, это уже счастье»; мама притворяется — больше всего на свете она любит, когда происходит. Тетя Ира говорит: «Нужно находить счастье в повседневных вещах»; тетя Ира лукавит — какая уж тут повседневность, если она мечтает выйти замуж за иностранца. Отец счел бы крайне глупым рассуждать о каком-то никому не известном счастье, для него «на свете счастья нет, но есть покой и воля» и Византия — но тогда отец был бы самым спокойным и довольным человеком на земле, а он всегда выглядит немного печальным.

Я чувствовала себя взрослым мудрым человеком, человеком, снисходительно и печально глядящим на мир, — должно быть, именно так счастливы взрослые люди, сдержанно, скучно счастливы, счастливы по пунктам: не происходит ничего плохого, на свете счастья нет, а есть покой и воля, и так далее...

Ах да, еще «нужно находить счастье в повседневных вещах», и в этом смысле я была особенно счастлива в последнее воскресенье октября — у нас была генеральная уборка.

В последнее воскресенье октября у нас была генеральная уборка в доме и в саду.

Мы с Женей пилили дрова для печки, а Лидочка складывала дрова в сарай.

...Только что Лидочка с недовольным лицом складывала дрова в сарай, и вот ее уже нет!

Из педагогических соображений я рассказала Лидочке, что «совершенно взрослый мужчина, красивый и богатый» купил ее как проститутку. Лидочка огрызалась, кричала «он меня любит!» и обвиняла меня в зависти к этой огромной любви, потом рыдала, и — забыла, стерла из памяти, как в конце урока стирают с доски, и искренне удивлялась, почему ее держат взаперти.

Мы не выпускали ее из дома одну, по очереди отвозили и забирали из школы, и она, выходя из школы, покорно, как маленькая, давала руку и отчитывалась, какие получила отметки. А потом начала исчезать через черный ход. Ничего дурного она не делала, не писала глупостей на уроках, не пропадала ночами, возвращалась домой к вечеру, с нежной виноватой улыбкой... Я рассчитывала, что она изменится, а Лидочка повела себя как пудель — искупался в заливе, извалялся в песке, отряхнулся и побежал дальше.

Исчезать она научилась виртуозно, как ассистентка фокусника в цирке — была-была, и нет ее.

— Мне надоело за ней бегать, — сердито бросив ручку пилы, сказала я и оглянулась на звук машины.

У нашей калитки остановилось такси. Из такси вышла пожилая дама со строгим лицом, именно дама, а не пожилая женщина — элегантная сдержанность в прическе и одежде, прямая спина.

Брезгливо осмотревшись кругом, дама громко сказала: «Какой ужас!»

Со стороны все вокруг действительно выглядело печальным и заброшенным: и наш участок с облетевшими кустами, и дом с облупившейся по стенам краской, и мы с Женей в резиновых сапогах и старых дождевиках, с лиц стекают струйки дождя — под дождем уныло пилим дрова.

— Мне надоело за ней бегать, — повторила я, повернувшись к Жене.

— Ничего не поделаешь, придется бегать — отец велел держать ее на привязи, как дурную козу, — процитировала Женя.

— Козы? Куры? Я так и знала! — вскрикнула дама и повелительно позвала: — Девушка! Я вам говорю, девушка с хвостом! Немедленно впустите меня.

— Вы кого-то ищете? Помочь вам? — приветливо спросила Женя, открывая калитку.

Дама молча рассматривала Женю — резиновые сапоги, рваный дождевик, золотые волосы собраны в хвостик.

— Смазливая мордашка, и все — ни темперамента, ни характера, — задумчиво сказала дама. — Ну, хорошо. Поговорим откровенно, я для этого сюда и приехала. Дайте мне слово, что вы будете его любовницей!

— Я? Любовницей? — непонимающе переспросила Женя.

— Я не уйду отсюда, пока вы не дадите мне обещание, что будете его любовницей! Вы будете иметь все — приличную одежду, деньги, путешествия, — перечисляла дама.

Женя покачала головой:

— Я не понимаю, о чем вы говорите... Вы, наверное, перепутали адрес.

Дама наклонилась к Жене поближе и неожиданно ласковым голосом сказала:

— Девочка. Вам меня не переиграть. Скажите мне честно, ваш отец пьет?

Отец любит редкий сорт виски, и его иностранные коллеги привозят ему виски в подарок. От одного их приезда до следующего проходит месяца три, и отцу как раз хватает этих трех месяцев, чтобы опустошить бутылку.

— Пьет, — растерянно сказала Женя, — он пьет виски, но обычно...

— Но обычно водку, — холодно закончила дама. — Не нужно опущенных глазок, оставьте при себе эту вашу напускную скромность! Вы воображали, что мне ничего не известно, что мой сын мне ничего не рассказывает?.. Я согласна на все, вы можете даже пожить с ним немного... Но только не официальный брак!

Дама презрительно махнула рукой, словно отталкивая Женю, показывая, что не потерпит никаких возражений. Это был жест Сергея. У дамы были глаза Сергея, нос Сергея, губы Сергея! Подумать только — мама Сергея услышала от своего сына что-то незначащее обо мне и приехала к нам — зачем?

— Обещайте мне, что никогда не выйдете за него замуж, — настойчиво требовала она от Жени.

Женя испуганно кивнула — она всегда теряется, когда на нее наступают. Я молчала — мне казалось, что я нахожусь в театре абсурда, когда каждый действует в своем мире, сам по себе, не имея понятия, кого играет его партнер по сцене.

Потребовать от меня обещание, что я не выйду замуж за ее сына, как будто между нами что-то было... Что между нами было? Один разговор — я назвала его приживалом, одна прогулка — он спас таксу и пуделя от Исчадия Ады, один час любви — я сказала, что ничего не почувствовала, одна встреча в кабинете директора гимназии — я забросала его тетрадными обрывками, один поцелуй — я ответила на поцелуй голосом кота из мультфильма... Между нами ничего не было!

Но почему мама Сергея перепутала меня с Женей? Наверное, просто выбрала из нас ту, что красивей.

— Я ничего не понимаю, — виновато потупилась Женя.

Дама презрительно улыбнулась:

— Не понимаете?! Вы еще глупее, чем я думала. Вы боитесь и не умеете разговаривать всерьез, вам легче все отрицать! Я не удивлена. Я все про вас знаю. Про вашу мать, про вашего сумасшедшего отца, про вашу малолетнюю сестру легкого поведения... Вы, девушка из многодетной семьи, всерьез думаете, что можете выйти за него замуж? И что вместе с вами он получит эту вашу многодетную семью со всеми ее прелестями?! Будет называть вашу мать «мама», как принято в простых семьях, будет выпивать по маленькой с вашим отцом? Многодетная семья — это всегда социальная незрелость, неумеренный сексуальный аппетит при неумении пользоваться противозачаточными средствами, алкоголь...

Я выступила вперед, заслонив собой Женю, и возмущенно сказала:

— Вы нас оскорбили!

— Градусники, лекарства? — глядя на меня, усмехнулась мама Сергея. — Вы, очевидно, та самая медсестричка? Диана-охотница, которая надеялась своим выстрелом, то есть, извините, своим градусником завоевать богатый трофей?

— Я не надеялась! — торопливо воскликнула я. Пусть уж лучше мама Сергея посчитает меня невежей, которая прерывает старших, чем Женя поймет, что это она медсестричка, она Диана-охотница!

— Не надеялась? И правильно. Значит, вы разумнее, чем ваша сестра, — похвалила меня мама Сергея.

Что мне было делать? Сказать: «Я не позволю вам оскорблять моих родителей и мою сестру», отвечать так же гордо и презрительно, как она, — поссориться? Но ведь она мама Сергея. Не отвечать, стоять перед ней, как солдатик перед генералом, слушать, как она нападает на маму, на отца, на бедную безответную Женю? Какое неприятное положение!

Я вовремя вспомнила — «клизма времени», вспомнила, что я должна принимать людей такими, какие они есть, и сказала себе: «Лиза! Клизма времени, Лиза!» — это означало, что я должна принять эту даму такой, какая она есть... Злой, несправедливой, самонадеянной особой, которая думает, что ей позволено прийти в чужой дом и оскорбить моих родителей и сестру!

— Я... Вы... — Я не успела сказать: «Я не собираюсь терпеть ваши оскорбления! Вы злая, самонадеянная, несправедливая!» — потому что с крыльца раздался мамин голос.

— Девочки, у нас гости? Здравствуйте! — крикнула мама. — Скорей идите в дом! Затопим печку, посидим у огня... У нас сегодня «Наполеон» с новым кремом! Женя! Ну, веди же человека в дом!

Женя повела маму Сергея по дорожке.

— Не думайте, что вам удастся заполучить одного из лучших женихов Москвы. Вы понимаете, кто он, а кто вы? — на ходу продолжала мама Сергея. — Я к вам в дом не зайду. Ну, хорошо, покажите мне дом. И пошевеливайтесь — вы что думаете, я в гости к вам пришла?

Я не торопилась за ними — зашла за дом, прислонилась лицом к своей яблоне. Пусть все недоразумения выяснятся без меня, пусть мама поговорит с ней за меня, а я еще маленькая, я пока постою тут, под дождем, прижимаясь лицом к яблоне... Каждая из нас сажала яблоню перед тем, как пойти в первый класс, и я хорошо помню, как втыкала в землю тонкий прутик, а теперь она была большая, моя яблоня... Я не хотела идти в дом, не хотела ссориться с мамой Сергея — она ужасна, но она же его мама. Не хочу ссориться, но обязательно поссорюсь, поэтому лучше я останусь здесь, под дождем... Мама Сергея волнуется напрасно — Сергей не любит меня, это я его люблю. Но я никогда не буду добиваться ответной любви, выгрызать из него любовь. Единственный способ избавиться от несчастной любви — это уничтожить свою любовь в себе, и пусть кто-то мне скажет, что у меня это не получится!..

...А ведь там, наверное, ссора!.. Стыдно мне прятаться, стыдно избегать выяснения отношений!.. Сейчас пойду к ним и смело признаюсь во всем, вот только еще немного постою под яблоней и сразу пойду...

— Лиза! — раздался мамин крик. — Ли-за! Немедленно домой!

Моя мама с мамой Сергея сидели рядом на диване напротив печки и обе так внимательно рассматривали языки пламени, как будто они не враждующие стороны, а поклонники огня.

— Вы должны понять меня как мать! — душевным голосом сказала мама Сергея, и мама, моя мама, в точности таким же голосом ответила: «Я вас понимаю».

Женщина, сидевшая рядом с мамой, была нисколько не похожа на ту, что разговаривала с Женей в саду, — жесткую, холодную, злую, неприлично не стеснявшуюся в выражениях. Сейчас у мамы Сергея было совершенно другое выражение лица — теплое, растерянное, ищущее поддержки, как будто они с мамой подруги, и другой голос — мягкий, глубокий, проникающий в душу. Какое удивительное совпадение — оказывается, она такая же актриса, как моя мама! Обе умеют расположить к себе, внушить симпатию, когда им нужно. Это будет борьба титанов, в которой я поставила бы на маму Сергея — так мгновенно она поменяла имидж «я вам покажу!» на имидж «я ваш лучший друг».

Мама Сергея проникновенно сказала:

— Мой сын очень близок со мной, он рассказывает мне все. Понимаете, он у меня один...

— Моя дочь... — вставила мама, — моя дочь тоже очень близка со мной. У меня их четверо.

— У меня один сын... Мой сын сказал мне, что влюбился в девушку из... — Мама Сергея на долю секунды задумалась и дипломатично опустила «девушку из многодетной семьи», — что он влюбился в вашу дочь. Я уже сказала — я не удивлена... Я предполагала, что это может быть такое — хорошенькое личико и ничего больше... то есть я хочу сказать, не обижайтесь, дорогая...

— Ваш сын? В мою дочь?! Что вы говорите? Ах да, конечно. ...Я тоже не удивлена, — поддакнула мама. — Моя девочка — такая умница, красавица, в нее все влюбляются, вот и ваш сын влюбился.

— Мой сын — не все! Он один из лучших женихов России, — гордо сказала мама Сергея.

— Я тоже так считаю! Она его за это и полюбила, — горячо поддержала мама. — То есть я хотела сказать, ваш сын очень хороший...

Женя повернулась ко мне и растерянно прошептала:

— Послушай, Лиза, я ничего не понимаю... Это же не может быть мама Вадика! Мама Вадика умерла, когда он был маленьким... Бедный Вадик, — как будто в скобках пробормотала Женя. — Эта несчастная женщина забрела к нам по ошибке, перепутала адрес... А может быть, она немного сошла с ума от горя? Она так переживает за своего сына! Как мы можем ей помочь? Только выслушать... Но если мы ее выслушаем, ей может стать легче...

Бедная была не мама Сергея, а Женя. Мама Сергея прекрасно понимала, где она находится и кто рядом с ней, а вот Женя не понимала ничего, но не потому, что она медленно соображает. Женя действительно не успевает думать быстро, потому что очень занята — всех жалеет, но в данном случае у нее не было никакой возможности догадаться. Ей не могло прийти в голову, что речь идет обо мне и о Сергее, ведь мы с Сергеем не сказали на людях и двух слов. Ну а как мама поняла, что «один из лучших женихов России» — это Сергей, — необъяснимая загадка, одна из тех загадок, что постоянно загадывает мама.

— Представьте мои чувства, — сказала мама Сергея, и мама, моя мама, повернувшись к ней, подперла щеку рукой и, полная сочувствия, приготовилась представлять.

— Поймите меня правильно, я ничего не имела бы против девушки... я ничего не имела бы против кого? — Мама Сергея задумалась, улыбнулась и на мгновение стала очень обаятельной. — Я бы все равно была против, я очень ревнивая мать... Впрочем, это неважно. Этот брак — мезальянс. Настоящий мезальянс — это не деньги, это разность происхождения, воспитания... Вы же умная женщина, — начала мама Сергея, — вы сами понимаете, что они не могут быть вместе! Это будет плохо прежде всего для вашей дочери. Не думайте, что мне дороги лишь интересы моего сына, я больше всего думаю о ней, о вашей... о нашей дорогой девочке! Мы, женщины, гораздо глубже переживаем расставание, чем мужчины! Вся тяжесть разрыва ляжет на вашу дочь. Они все равно не смогут быть вместе!

Мама Сергея наступала, моя мама старательно делала вид, что не расслышала слова «мезальянс», и я не хотела вмешиваться в это состязание, но вдруг мама Сергея знает что-то важное, что-то такое, чего я не знаю?

— Почему обязательно расставание, разрыв? А если это любовь? Если люди любят друг друга? — спросила я.

— Любовь? Любовь — это у вас... где вы там работаете, в поликлинике? — отмахнулась мама Сергея. Она подвинулась ближе к маме, взяла ее за руку и горячо зашептала: — Дорогая моя, вы же все понимаете! Любовь пройдет, а чужой человек рядом останется!.. А наши дети, они чужие друг другу. Близость, родственность — это такие тонкие материи!.. По-настоящему близким может стать только человек, который вырос в том же кругу! Вы простите, но вы такая умная, умнейшая женщина... Мой сын и ваша дочь — люди разного круга. Ваша дочь не знает того, что мой сын знает с детства! Вы скажете, она получила образование, она читала книги, но вы же сами знаете, что дело не в этом — потому что именно ЭТО она не читала!

Я напряженно смотрела на маму Сергея. То, что мне говорил Сергей, было глупо и обидно, но слова его мамы звучали совершенно иначе. В ее рассуждениях было и противное, высокомерное, но было и разумное... Может быть, она права? Ведь мой отец и моя мама из разных кругов, хоть и из соседних комнат, и что же? Отец живет в отдельном помещении, как жираф в соседней клетке в зоопарке, и у него есть близкая женщина, не мама...

— И различие понятий все равно обнаружится — словечко, выражение, которое его покоробит, взгляд, манера есть суп. И с возрастом эти различия не смягчаются, а становятся острее... Моя дорогая, вы кажетесь таким на редкость разумным, трезвым человеком! Я вижу, вы понимаете меня!

— Ну конечно, — ласково улыбнувшись, согласилась мама. — Она у меня не любит суп. Хотя я всегда говорю своим девочкам — нужно обязательно есть горячее... Но вы понимаете, четверо дочерей, за всеми не уследить. Но с возрастом они обязательно полюбят суп, я уверена, что полюбят.

Мама Сергея посмотрела на нее диким взглядом и вздохнула:

— Человек всегда продукт своей среды, и из нее не выйти. Вы же не захотите, чтобы ваша дочь вышла замуж за...

— ...вышла замуж за водопроводчика, — понимающе подхватила мама. — Да, я не захочу иметь зятя из семьи, где не читают книг и не пользуются ножом. Хотя водопроводчик в семье — это всегда хорошо... У нас, например, постоянно течет кран на кухне.

— Вот именно, — устало сказала мама Сергея. — В общем, я вас настоятельно прошу воспрепятствовать этому браку.

— Да-да, — рассеянно кивнула мама. — Женя, Лиза, чай и «Наполеон». Быстро.

— «Наполеон»? Вы сами пекли?.. Ну, если только кусочек.

Мы ели «Наполеон» и смотрели на огонь — «Наполеон» всегда утешает, и огонь тоже.

Изящно подобрав с тарелки все до последней крошки, мама Сергея обратилась к Жене:

— Я бы не приехала к вам, если бы не одна вещь. Если бы мой сын сказал, что он влюбился, я бы подумала — чепуха, но он сказал, что вы смешная. Сказал, что ему с вами... ему с вами интересно.

Сергей сказал своей маме, что ему со мной интересно! Почему она посчитала это таким важным? Что это означает? Не скучно? Волнующе? Он меня любит?!

Женя смотрела на нее сочувственно и была вся красная — она всегда краснеет от жалости, и сейчас она явно считала, что «эта бедная женщина» сошла с ума от горя.

— Но я же вижу, меня не обманешь, — продолжала мама Сергея, глядя на Женю. — Да, вы хорошенькая, пожалуй, даже очень. Но поймите, страсть пройдет! Что вы можете ему дать? Что у вас есть, кроме внешности? Возможно, вы добродушны, милы, но не более. Вы меня извините, но ведь вы абсолютно... ни живости, ни...

Я подумала, что сейчас она обидит Женю, и быстро проговорила:

— Вы ошиблись, это я. Это моя сестра Женя, а я Лиза. Простите, что не призналась раньше, но вы меня застали врасплох, а потом я любовалась вами. Это было прекрасно. Вы выдавали свои аргументы за мамины мысли, сами соглашались со своими аргументами, уверяли, что в данном деле у вас нет собственных интересов, а только чужие... Простите.

Мама Сергея внимательно всмотрелась в меня.

— Интеллект. Наглость. Красивые глаза, нос длинноват, — задумчиво сказала она. — Ну хорошо, мы еще посмотрим, кто кого!

— Не беспокойтесь, — успокоила я маму Сергея. — Я не собираюсь замуж за вашего сына.

— Лизочка, деточка, что ты такое говоришь? — всполошилась мама. — Не обращайте внимания, она шутит! Она у меня такая живая девочка, такая остроумная, совсем не то что Женя...

Я поступила ужасно — невежливо, грубо. Подошла к маме Сергея и сказала:

— Вы можете спокойно уехать домой. Я никогда не выйду за него замуж, даже если... не выйду, и все! Ваш сын эгоист, не считается с другими людьми, он обидел... — я хотела сказать, что он обидел мою сестру, но вовремя спохватилась, — он обидел меня. И он мне не нравится.

— Это еще почему? — обиженно спросила мама Сергея. — Как это «не нравится»? Да как вы смеете такое говорить! Вы вообще-то в своем уме?

Я провожала маму Сергея до такси. Она осторожно обходила лужи, держала меня под руку и доверительно говорила:

— Была у него эта, Алина, пустенькая незначительная девица без характера. Она мне очень не нравилась — вы меня понимаете?

Приятно, когда мама любимого человека говорит, что его девушка ей не нравится, это бесспорно означает, что ты — лучше!

Водитель усадил маму Сергея в машину, захлопнул дверцу. Мама Сергея приоткрыла окно и сделала мне знак подойти к ней поближе и наклониться. Я наклонилась.

— Я думала, что вы еще хуже Алины, а теперь даже и не знаю, кто из вас хуже... — задумчиво сказала она и вдруг обрадовалась: — Знаете, что я думаю? Вы обе хуже!

Я сделала шаг назад и помахала рукой — до свидания, счастливого пути!

На этом визит был окончен. Водитель тронулся с места, проехал несколько метров и вдруг дал задний ход — я не успела зайти на участок, как машина опять стояла у нашей калитки.

Мама Сергея выглянула из окна.

— Скажите мне честно, какой у вашего отца диагноз?.. — интимно прошептала она.

— Не скажу. Это семейная тайна, — так же интимно прошептала я.

От калитки до крыльца я проскакала на одной ножке. Интересно, ему со мной интересно!

Я объяснила изумленным маме и Жене, что все это недоразумение, чем вызван этот визит — я не знаю, у меня с Сергеем ничего не было и Сергей никогда мне не нравился.

— Этот Сергей очень неприятный человек, — подтвердила мама, — так заносчиво держался, как будто мы хуже него. Но как он похож на свою мать — одно лицо!

Да, они похожи. Ум, красота, обаяние, остроумие, артистичность и, главное — яростное желание управлять людьми и ситуациями.

— Он друг Вадика, — добавила Женя, как будто это была самая главная характеристика любого человека, и восхищенно спросила: — Мама, как же ты поняла, что она не перепутала адрес, что речь идет о Сергее и о Лизе? Какая ты умная! Как ты догадалась?

— Я очень умная, — с достоинством отозвалась мама. — Но я не догадалась, я была уверена, что эта дама перепутала адрес. Но она сказала, что ее сын один из лучших женихов России, вот я и... так, на всякий случай. Я подумала: у дамы сын, у меня дочери, мало ли что...

Даже при той близости и нежности, которые всегда были между мной и Женей, есть вещи, которые можно делать только наедине с собой. Каждое утро начиналось одинаково: Женя вставала раньше меня и, убедившись, что я еще сплю, тихонечко, чтобы не разбудить меня, делала кое-что интимное — подходила к окну и с мечтательным видом смотрела на Дом из-за занавески. Затем она тихо брала свои вещи, спускалась вниз и собиралась на работу. После того как Женя выходила из комнаты, я, уже не опасаясь разбудить Женю, в свою очередь делала то же самое, интимное — подходила к окну и с мечтательным видом смотрела на Дом из-за занавески.

Я ни разу не сделала этого при Жене, а Женя при мне — она же не знала, что я не сплю. Женя хотела казаться спокойной и равнодушной, не хотела показать, что тоскует и ждет, не хотела меня расстраивать, а я, я тоже хотела казаться спокойной и равнодушной, я тоже не хотела показать, что тоскую и жду. Женя не знала о моей любви — с какой же стати мне рассматривать соседний участок из-за занавески?..

Спустя неделю после визита мамы Сергея ранним утром я стояла за занавеской. Женя внизу собиралась на работу, и я могла, не стесняясь, разглядывать Дом, представляя, как вдруг кто-то махнет волшебной палочкой и Дом оживет... Появятся тети-Ирин племянник и тети-Ирина племянница, откроют ворота своим ключом, зайдут на участок, откроют дом, и через некоторое время из трубы пойдет дым — в гостиной затопят камин. Подъедет машина, из нее выйдет Сергей, но он не пойдет в Дом, а встанет у нашей калитки. И тогда я... я не буду стесняться, не буду притворяться гордой, не буду вспоминать обиды, я ка-ак выскочу за калитку и ка-ак брошусь ему на шею, и все будет понятно без слов — нет между нами никаких условностей, никакого тщеславия, никаких разных кругов, а просто он любит меня, а я его... Но этому никогда не бывать.

..Я вздохнула громко, как паровоз, и вдруг увидела — я вдруг увидела, увидела! У забора появились тети-Ирин племянник и тети-Ирина племянница. Племянник открыл ворота ключом, они зашли на участок, затем в Дом, и через некоторое время — я ждала, стоя за занавеской, — пошел дым из трубы — в гостиной затопили камин.

И тут же, как будто дым из каминной трубы был специальным знаком, подъехала машина. Из машины вышел Вадик — я несколько раз зажмурилась и снова открыла глаза, чтобы убедиться, что это Вадик, а не Сергей, — но это был Вадик. Вадик не пошел к себе, а встал у нашей калитки.

Отец был у себя наверху, он никогда не встает так рано, впрочем, ему бы и в голову не пришло помешать Жене встретиться с Вадиком без свидетелей, а маму с Лидочкой я заперла в ванной — они спешно пытались нанести блестки на Лидочкины волосы. Я сделала вид, что сломался замок и я иду искать инструменты, а сама поднялась к себе в комнату. Лидочка только рада опоздать на урок, поэтому они с мамой будут спокойно сидеть взаперти.

Я наблюдала в окно, как Женя вышла на крыльцо... Никогда не думала, что наш застенчивый ангел способен стремглав лететь к мужчине, повиснуть у него на шее и... я поскорей задернула занавеску.

— Платон сказал, что уже во встрече страстных взоров возникает первый зародыш нового существа, — раздался голос позади меня.

А про Марию я совсем забыла! Но такая уж у нас семья: если кого-то забудешь запереть — он тут как тут.

— Лидочку с мамой кто-то запер в ванной, я их выпустила, — сообщила Мария и завистливо вздохнула: — Лидочка вышла из ванной вся в блестках, как принцесса из сказки...

На кухне сидели мама с тетей Ирой.

— В этом доме я все должна узнавать последней, — увидев меня, холодно сказала мама. — Если бы не тетя Ира, я бы до сих пор не знала, что Женя только что целовалась с Вадиком.

— Спасибо тебе на добром слове, — скромно потупившись, отозвалась тетя Ира, принимая заслуженное признание.

Вечером мама сделала предложение Вадику.

— Ты, наверное, хочешь, чтобы Женечка вышла за тебя замуж? — сказала мама.

— Д-да, — кивнул Вадик.

— Что ты говоришь? Женечке выйти за тебя замуж? — удивилась мама. — Ну, я не знаю... это так неожиданно. Я даже не знала, что у вас с Женечкой какие-то отношения. Кстати, имей в виду на будущее, что моя Женечка во всем меня слушается.

Я ожидала, что мама от восторга будет скакать на одной ножке и ее радость будет немного слишком, немного унизительна для Жени, как будто принц сделал предложение Золушке. Но мама неожиданно повела себя как человек, который стопроцентно уверен в своей победе и может себе позволить немного покривляться, посмаковать свое счастье, как будто катает во рту леденец, зная, что в любую минуту может его проглотить.

— Я не могу дать тебе ответ так сразу... Мне нужно подумать, — заявила мама. — ...Когда же ты успел в нее влюбиться? Это была любовь с первого взгляда?

Вадик растерянно молчал.

— Да или нет? — настаивала мама.

— Д-да... — опустив глаза, сказал Вадик.

Мама заставила бедного, от смущения больше обычного заикающегося Вадика согласиться со всем, что она сказала, — он любит Женю, полюбил ее с первого взгляда, мечтает на ней жениться и не вынесет отказа.

— Ну, не знаю, не знаю... А ты сможешь содержать семью? — озабоченно спросила мама. — Женечка, конечно, об этом не думает, но я как мать обязана поинтересоваться, на что вы будете жить. И где.

— Но я... мой отец, вы же з-знаете, кто он, — изумился Вадик. — Жить мы можем рядом с вами, вы же видели д-дом...

— Дом? Не помню, забыла, столько всего видишь... — небрежно отозвалась мама. — Впрочем, с милым рай и в шалаше.

Я смотрела на маму во все глаза: она умудрилась полностью все поменять местами, переставить все акценты, и получалось, что мы еще очень хорошо подумаем, отдавать ли нам Женю за сына миллионера, в которого она безоглядно влюблена.

— Может быть, не стоит так торопиться, нужно проверить свои чувства? — предложила мама.

— М-может быть, л-лучше п-подождать, — послушно повторил Вадик.

— П-подождать? — переспросила мама. — Да, лучше подождем. Свадьба будет в «Астории» — вот, я уже взяла у них свадебное меню. На горячее... решать, конечно, вам, но я предлагаю осетрину, медальоны из телятины и седло барашка.

303

...Вечером того же дня приехал Сергей, но наша встреча не выглядела такой романтичной, как встреча Жени и Вадика. Мы встретились не как влюбленные.

Может быть, я и побежала бы и бросилась ему на шею, но как можно броситься на шею человеку, который начинает с того, чем закончил последнюю встречу, — ссорится?

Я сидела на кровати у себя в комнате, а Сергей ходил по комнате, иногда останавливаясь и нависая надо мной, как обвинитель.

— Ты говорила, что я виноват в несчастье твоей сестры... Говорила?

Я кивнула.

— Ты говорила, что я не могу сделать ни одно доброе дело, чтобы не рассказать о нем?.. Ты говорила, что я не смогу не сказать? — запальчиво произнес Сергей. — Так вот, чья, по-твоему, заслуга, что Вадик женится на твоей сестре?!

Мы почти одновременно засмеялись — сначала я и секундой позже Сергей.

— Но это действительно моя заслуга, — с гордостью произнес Сергей, приближаясь к окну.

— Не подходи! — крикнула я так резко, что он вздрогнул. — Тебе туда нельзя!

— Что там у тебя? Любовник за занавеской?

— Да так, ничего. Просто нервы. Можешь подойти, — разрешила я. Я просто испугалась от неожиданности — решила, что он подойдет к окну, увидит Дом и как-нибудь поймет, сколько часов я простояла за занавеской...

Сергей выразительно взглянул на меня, намекая на странность моего поведения, и подошел к окну.

— Итак, я был виноват в том, что твоя сестра страдает, так вот тебе, — он показывал на светящиеся окна Дома, — ведь это я сказал Вадику, чтобы он приехал и женился... что Женя прелестная девушка. И он в тот же день уже был тут. Ну, как?..

Сергей ожидал похвал, благодарности — не знаю, чего он ожидал, но я молчала. Этот человек всегда убежден в своей правоте, уверен, что он имеет право вмешиваться в судьбы других людей!

— Как ты любишь руководить людьми, — сказала я.

— Да, люблю и считаю, что имею на это все основания.

— Какие же у тебя основания?

— Интеллект, знание людей и жизни, — самодовольно сказал Сергей, и мы опять поссорились.

Мы бы еще долго обсуждали, имеет ли человек право вмешиваться в судьбы других людей, руководить людьми, а также самому оценивать свой интеллект, но мама крикнула нам снизу:

— Лиза и вы тоже!.. К столу!

В гостиной горела печка, стол был накрыт на нашу семью и Вадика, на всех стульях были повязаны банты, а Сергею мама в последний момент демонстративно подставила табуретку.

— Зачем ты притащила его на наше семейное торжество, — громким шепотом прошептала мне мама и фальшиво улыбнулась Сергею: — Мы сегодня гостей не ждали, только семья, так что у нас ничего особенного, вы уж не обессудьте...

Ничего особенного — это были салат оливье, модный салат с креветками и виноградом из кулинарной книги, селедка под шубой, пироги с капустой и картошкой, горячие котлеты, соленые грибы с картошкой — и все это, включая котлеты, было на закуску. Кроме этого было еще горячее и «Наполеон».

Лидочка с Марией болтали и смеялись, Женя с Вадиком перешептывались, мама с умилением наблюдала за ними, и все ели салат оливье, салат с креветками и виноградом, селедку под шубой, пироги с капустой и картошкой, горячие котлеты, соленые грибы с картошкой... Все, кроме нас Сергеем — мы продолжали ссориться шепотом.

— Мне обидно за мою сестру! — шипела я. — Я не понимаю, как мужчина может быть таким послушным, таким безвольным!.. Ты велел Вадику бросить Женю — он бросил, ты велел ему жениться — он женится. Я бы не хотела, чтобы меня сначала запретили, а потом разрешили! Друг разрешил, друг не разрешил — а где же сам Вадик?!

— Но если твоей сестре все равно, где сам Вадик, то тебе должно быть тем более безразлично, — шипел в ответ Сергей.

— Как ты смеешь говорить, что Жене все равно! Ей действительно все равно, но не потому, что ты думаешь!.. Вадику повезло...

— Ну что ты на меня набросилась? — успокаивающим голосом сказал Сергей. — Я согласен, Вадику повезло.

— Да, да! Женя — ангел! — горячо прошептала я.

— Да, конечно, — неуверенно прошептал Сергей. — Но я имею в виду, что Вадику повезло с твоим отцом...

— А вот и отец, — сказала мама, — как раз к чаю.

Отец присоединился к нам вместе с «Наполеоном» — я и не заметила, как закуски сменились горячим, а горячее чаем.

Сергей и Вадик познакомились с отцом, на этот раз по-настоящему. Сергей держался с отцом спокойно, вежливо и бесстрашно, а Вадик робел и заикался больше обычного — может быть, опасался, что отец опять начнет расспрашивать его об охоте, а у него нет никаких трофеев. Надеюсь, Женя улучила минутку, чтобы рассказать своему жениху, что ее отец не сумасшедший, а впрочем, не знаю.

Отец был с Вадиком любезен, расспрашивал его о его семье, но Вадик смотрел в стол, отвечал односложно, в общем, выглядел как застенчивый двоечник. А на вопросы, чем он занимается и чем увлекается, Вадик не смог ответить, испуганно пробормотал:

— В-вам я не могу эт-того с-сказать...

Почему он не смог сказать отцу, что учится в Лондонской школе экономики, почему он так робел?..

Отец выпил чай и отправился к себе, извинившись перед гостями — нужно работать.

— Раб-ботать, раб-ботать, — провожая его взглядом, как будто в экстазе, повторил Вадик и вдруг бросился за отцом и что-то быстро сунул ему в руку. — Отдал ему п-письмо, — пробомотал Вадик. Неужели он решил письменно попросить у отца Жениной руки?

...Мы еще даже не успели допить чай, как все выяснилось.

— Я т-так мечтал изучать историю в университете, но мой п-папа с-считает историю, п-простите за выражение, «б-бабским делом»... — сказал Вадик.

Оказывается Вадик, которого я считала недалеким бездельником, с детства страстно увлечен Византией. Полгода назад, прочитав новую книгу отца, Вадик написал ему письмо на адрес английского издательства, где вышла книга, и попросил переслать письмо отцу. Неделю назад Вадик получил от отца ответ по-английски и не обратил внимания на адрес. И только надписывая конверт с ответным письмом, вдруг увидел, что пишет: «Russia, Saint-Petersburg, Lisiy Nos...»

— Если б-бы я знал, что он т-тут, совсем ряд-дом, я б-бы ни за что т-тогда не уехал...

Сергей победительно взглянул на меня, и я сделала вид, что ничего не заметила. В конце концов, не имеет значения, кого Вадик любит больше — Женю или Византию.

— Я давно уже хочу разобраться с его отцом. Объяснить ему, что Вадику нечего делать в школе экономики. Скажу ему, что заниматься наукой еще более престижно, чем бизнесом, — прошептал Сергей, и мы опять поссорились, а когда помирились, Сергей спросил: — Знаешь, как я понял, что я тебя люблю? Я все время о тебе думал и мысленно с тобой спорил и даже ссорился. Это как будто зависимость...

Он сказал — у него зависимость. От меня.

— Любишь? Но если я тебя... если я кого-нибудь люблю, то я хочу тебя... кого-нибудь видеть, а ты, ты не звонил, не приходил... исчез!

— Я исчез для тебя! Я работал! Я же мужчина. — Сергей сказал это так удивленно, как будто мужчина, встретив любовь, говорит: «Это любовь. Это любовь, привет! А сейчас у меня дела».

— Ты выйдешь за меня замуж? Только моя мама просила предупредить тебя заранее, что твоя мама не должна ни во что вмешиваться... Моя мама сказала, что твоя мама...

— Моя мама?! — возмущенно фыркнула я.

Сергей сказал, что я крайне обидчива и ему просто невозможно уследить за собой, чтобы не сказать чего-то неприятного для моего чересчур нежного «я». Что рядом со мной у него такое чувство, будто рядом с ним все время повизгивают такса и пудель, и оказывается, он нечаянно наступил им на лапу, но он же не виноват, что они маленькие и самолюбивые, а он большой. А я сказала, что я его не люблю.

Может показаться, что я слишком быстро перескочила из состояния влюбленной овцы «бе-е-е» в состояние самодовольной уверенности в его любви, но... откуда-то я знала, что можно, всегда откуда-то знаешь, что можно.

Я сидела у отца в кабинетике на своем обычном месте — напротив отца, а мама стояла за мной как страж, положив руку на спинку стула.

— Лиза, не нужно выходить за него замуж, — сказал отец. — Лиза, он...

— Он один из самых лучших женихов России... так его мама сказала, — перебила мама. — Один из самых лучших, даже лучше Вадика...

На лестнице послышалось шуршание, затем звук пинков, затем шипение: «Подвинься, я тоже хочу!». У нас всегда кто-нибудь подслушивает за дверью, считая, что он не подслушивает, а просто его забыли позвать, чтобы он тоже принял участие в интересной беседе.

«Круто!.. Наша Лиза выходит замуж за лучшего жениха России!» — раздался приглушенный Лидочкин голос.

Отец тяжело вздохнул.

— Лучший, лучший, лучший... жених, жених, жених... — монотонно, словно гипнотизер на сеансе внушения, повторила мама.

Отец вздохнул еще тяжелей:

— Лиза, я никогда не говорил с тобой... ни о чем. Но я уверен, ты и сама все понимаешь. Чтобы быть счастливыми, люди должны быть из одной среды, из одной детской... Ты моя дочь — моя... А он человек совсем другого круга...

Ну что же это, все как будто сговорились — сначала я из другой среды, а теперь он из другой среды!..

— Это она сначала говорила, что он неприятный человек, заносчивый, самоуверенный, — торопливо сказала мама. — А потом, как только он сделал ей предложение, сразу передумала.

Отец взглянул на меня изумленно и разочарованно, как будто я на его глазах превратилась в козленочка.

— Лиза?! Я не могу поверить, что ты выходишь за него замуж из-за денег! Никакие деньги не облегчат ситуацию, когда люди душой врозь...

Я улыбнулась, нежно и снисходительно, как будто я взрослая и смеюсь над ним, ребенком. Я хотела сказать отцу, что Сергей оказался благородным, что он спас Лидочку, и таксу, и пуделя. Но ведь на самом деле он такой же, как и был, — заносчивый, самоуверенный. Способный и на благородный поступок в том числе. В нем так много разного. Не скажет ли Сергей через год, через месяц, через день после свадьбы: «Была у меня такая девочка, Лиза, вспоминаю ее хорошо, но ничего не вышло»?..

А если бы Сергей и его мама не узнали, что отец — знаменитый ученый, она бы разрешила ему на мне жениться? А если бы не разрешила, Сергей женился бы на мне против ее воли? Он такой насмешливый и взрослый и такой мамин.

Я вдруг заметалась: если бы я его любила, я бы не замечала его недостатков, смотрела бы на него сквозь розовые очки. Может быть, я его не люблю?

«Круто! Наша Лиза откажет лучшему жениху России!» — раздалось из-за двери.

...Чувство юмора у него такое, как у меня. Чувство юмора — это так редко, чтобы совпадало, чтобы вместе смеяться. Женя, например, никогда со мной не смеется. И если я не выйду за него замуж, мне придется всю жизнь смеяться одной.

— Я его люблю. Можно мне выйти за него замуж?

— Ну?! — просительно сказала мама и в волнении наклонила стул со мной на письменный стол отца, так что моя голова оказалась над его бумагами, и я даже смогла прочитать: «...поход с сорокатысячным войском на Византию был предпринят в 941 г. при князе Игоре, пока византийский флот был отвлечен арабами...» — Ну?! Я уверена, что она будет счастлива!.. А ты?

— А я не уверен, — печально сказал отец.

— Шопенгауэр говорит... — раздался за дверью голос Марии. — Шопенгауэр говорит, что любые два миросозерцания при всей их противоположности одновременно истинны, каждое со своей точки зрения, а стоит лишь подняться над этой точкой, как истинность их сейчас же оказывается условной. Но абсолютная истина...

Отец улыбнулся и продолжил:

— Но абсолютная истина недостижима... Я так и знал, что приезд этих двух молодых людей из Африки закончится тем, что по крайней мере две мои дочери выйдут за них замуж...

Все закончилось, как и положено, свадьбой, но у меня еще оставалось столько вопросов... Мама сказала, чтобы все вопросы я задавала после свадьбы.

Я была уверена: ангел Женя и Вадик, слабовольный ангел, будут безоблачно счастливы. Они будут жить в Доме, и если для полного счастья им потребуется немного волнений, недоразумений и легких ссор, то ведь рядом всегда будет мама. Мама будет руководить через забор, Вадик будет любить Женю и благоговеть перед отцом, будет сидеть в кабинете и изучать Византию, — и они станут как мама с отцом, но никогда не разделятся на «низ» и «верх», а будут счастливы. Ангелам счастье полагается.

...А я, я буду счастлива?.. Такой вопрос задает себе каждая девушка в фате, в свадебном веночке, в перьях...

Я понимаю, что это глупый вопрос, но как же его не задать?..

Оценка Швабры Игоревны

Прежде всего я хочу сказать, что возмущена этой кличкой. Ее оправдание, что меня «все так зовут», я не принимаю! Уверяю вас, что никто меня так не называет, а тем, кто меня так называет, будет двойка по поведению и вон из школы!

Я также возмущена меркантильным подходом к оценке отношений в педагогическом коллективе. Дети не должны замечать отношений между взрослыми, это не их дело.

Я возмущена тем, что я читала чужое письмо. Никаких писем я не читала. Все знают, что чужие письма читать нельзя. А если я и читала, то только для пользы учеников. В этом письме не было никакого мата, никаких выражений, там было глупое детское объяснение одному мальчику из класса. Она просила прощения за свою мать. За какие-то ее слова «каждый должен общаться с людьми своего круга», которые он случайно услышал и перестал с ней дружить. В общем, какая-то детская ерунда, я прочитала это вслух, и все со мной согласились.

Из дома она не пропадала. Зачем она придумала, что пропала из дома и с ней было неприличное? Зачем она сама себя оклеветала?

Да и чего от нее вообще ждать, если она все придумала? Она никогда не играла в школьном театре Дон Кихота, а по математике у нее тройка. Ее мать нормальная женщина, которая никогда не стала бы заниматься такими глупостями, как она описывает, а сестер у нее вообще нет.

Она сказала, что это сочинение о воспитании. «Не думайте, — говорит, — что я претендую воспитывать кого-нибудь, кроме себя. Это мое сочинение о воспитании меня». Но всем известно, что человек не может сам себя воспитывать, воспитывают школа и семья.

Почему ее сочинение называется «Любоф и Дружба»? Это неграмотно. Она сослалась на Дж. Остен. Не знаю, не читала, потому что он не входит в школьную программу. Но в любом случае, нечего умничать, нужно читать по программе, о войне, о социальных вопросах, а не о каких-то там замужествах.

Я спросила, зачем она вместо обычного объема сочинения (три-четыре страницы) так много написала, она ответила: «Мое сочинение напечатают как книжку, потом снимут кино, я стану знаменитой, меня покажут по телевизору, и тогда мой папа ко мне вернется». Представляете?! Она же вообще никогда его не видела, как он может к ней вернуться?.. Странная девочка.

Я передала ее сочинение школьному психологу. Он у нас на полставки, ничего не делает, а деньги получает, вот пусть и разбирается.

Оценка школьного психолога

Я использовал этот материал в качестве примера для своей диссертации, но я не стану приводить здесь специальные термины, а постараюсь простым, непрофессиональным языком передать свое впечатление.

Лиза старается выглядеть независимой, ироничной и уверенной в себе девушкой. Она сказала, что ее сочинение — шутка, литературная игра, она взяла за основу английский роман и для развлечения написала эту историю на современной почве, взяв все необходимые реалии из Интернета.

«Я не очень популярна в классе, со мной не дружат, поэтому в сочинении у меня много сестер», — объяснила Лиза. На мой вопрос, откуда она все это знает, ведь для такого сочинения нужно иметь некоторый жизненный опыт и понимание людей, а она еще почти ребенок, Лиза ответила: «Все, что я не знаю, можно найти в журнале «Биография», жизненный опыт не нужен, нужно просто наблюдать за людьми. В голове у каждого есть текст, гораздо более умный и красивый, чем выглядит человек, только не все его записывают. Может быть, я взрослее в сочинении, чем в жизни, но каждый ребенок гораздо взрослей, чем кажется, и гораздо несчастней». Это довольно глубокое замечание для шестнадцатилетней «писательницы».

Самое простое было сказать, что одинокой девочке хочется иметь семью, сестер, хлопотливую мать и нежного отца. Я также предположил, что Лиза воспользовалась этим текстом, чтобы разобраться в себе. Но я не мог предположить, что Лиза подсознательно разложила себя на несколько личностей, щедро оделив своих «сестер» собственными чертами.

Я протестировал Лизу и, получив профиль ее личности, был удивлен. Здесь мне все-таки придется использовать профессиональные термины, но я постараюсь быть кратким.

Характер или личность каждого человека не является монолитом, каждый из нас представляет собой сочетание нескольких психологических типов. Если какой-то из этих типов ярко выражен, мы говорим об акцентуации характера. Акцентуация характера может проходить по одному или двум типам, а иногда, как у Лизы, по нескольким, и в этом случае мы имеем все основания говорить о яркой, противоречивой, неординарной личности.

Лиза представляет собой циклотимический тип, характеризующийся быстрой сменой настроения, пессимизма и оптимизма, возбуждения и пониженного эмоционального фона, почти депрессии. Я беседовал с Лизой три раза с промежутком в неделю, и один раз она показалась мне застенчивой и меланхоличной, а во время следующих встреч была совершенно другой — остроумной, кокетливой, полной идей и планов.

В характере Лизы в значительной степени выражен еще один тип личности — демонстративный. Этот тип личности характеризуется стремлением демонстрировать свои эмоции, всегда быть в центре внимания, способностью очаровывать окружающих, несмотря на свои недостатки и, возможно, благодаря им. В случае Лизы это скорее желание, а не реальная возможность. Она хочет быть в центре внимания, но не может и подсознательно восхищается теми, кто позволяет себе не в мечтах, а в реальности быть подчеркнуто эмоциональным, взбалмошным, эгоистичным, но обаятельным.

В Лизином характере имеется еще одна акцентуация — чувствительный тип личности. Этот тип личности характеризуется повышенной ранимостью, неуверенностью, чувствительностью по отношению к себе и другим, сомнением в своей привлекательности для противоположного пола, боязнью, что его обидят или он сам кого-то обидит.

Несмотря на заверения, что она знает все лучше многих взрослых и пишет: «Что же, мне танцевать в мамином платье», — она все-таки примерила мамино платье. Детскость ее сознания проявляется в том, как она пишет о матери — она ее не одобряет, но не может не любить, а также, когда она пишет о сексе, очевидно, что сама Лиза о сексе знает только теоретически. Подводя итог, можно сказать, что перед нами подросток с незаурядными личностными свойствами и со всеми свойственными пубертатному периоду противоречиями в характере и миросозерцании.

Оценка мамы

Глупо рассуждать, что она придумала, а что нет. Важно, что моя Лиза талантливая.

Но мне было очень больно убедиться, что ей настолько не хватает отца. Я никак этого не ожидала. Вся эта ее история на самом деле не о любви, а об отношениях с несуществующим отцом, которого она себе сочинила. Этот ее придуманный отец всегда где-то «наверху», из всей семьи он любит только ее, и она делает все, чтобы быть для него хорошей. Он специально изображен таким замкнутым, аутичным человеком для того, чтобы он принадлежал только ей одной. Ее сочинение буквально пропитано тоской по отцу! Мне это больно.

Лиза, вернее ее героиня, выходит замуж и сквозь смех задает себе робкий вопрос, будет ли она счастлива. Лиза, не героиня, а моя дочь Лиза, как-то спросила меня: «Как ты думаешь, я буду счастлива?» Она, конечно, не имела в виду замужество, а имела в виду — вообще, в жизни.

Мне, конечно, хотелось сказать: «Ты обязательно будешь счастлива», но ведь все в мире происходит не так, как хочется, и я осторожно ответила: «Да, но это немного глупый вопрос, потому что никто в мире не знает, что такое счастье». Лиза — еще совсем ребенок, но умный ребенок, она улыбнулась и сказала: «Это глупый вопрос, но как же его не задать?»

Литературно-художественное издание

Елена Колина

Любоф и друшба

Роман

Зав. редакцией *М.С. Сергеева*
Ответственный редактор *М.Г. Мельникова*
Технический редактор *Т.П. Тимошина*
Корректор *И.Н. Мокина*
Компьютерная верстка *Ю.Б. Анищенко*

ООО «Издательство АСТ»
141100, РФ, Московская обл., г. Щелково, ул. Заречная, д. 96

ООО «Издательство Астрель»
129085, г. Москва, проезд Ольминского, д. 3а

Наши электронные адреса: www.ast.ru
E-mail: astpub@aha.ru

По вопросам оптовой покупки книг
Издательской группы «АСТ»
Обращаться по адресу:
г. Москва, Звездный бульвар, 21 (7 этаж).
Тел: 615-01-01, 232-17-16

Издано при участии ООО «Харвест». ЛИ № 02330/0494377 от 16.03.2009.
Республика Беларусь, 220013, Минск, ул. Кульман, д. 1, корп. 3, эт. 4, к. 42.
E-mail редакции: harvest@anitex.by

ОАО «Полиграфкомбинат им. Я. Коласа».
ЛП № 02330/0150496 от 11.03.2009.
Республика Беларусь, 220600, Минск, ул. Красная, 23.